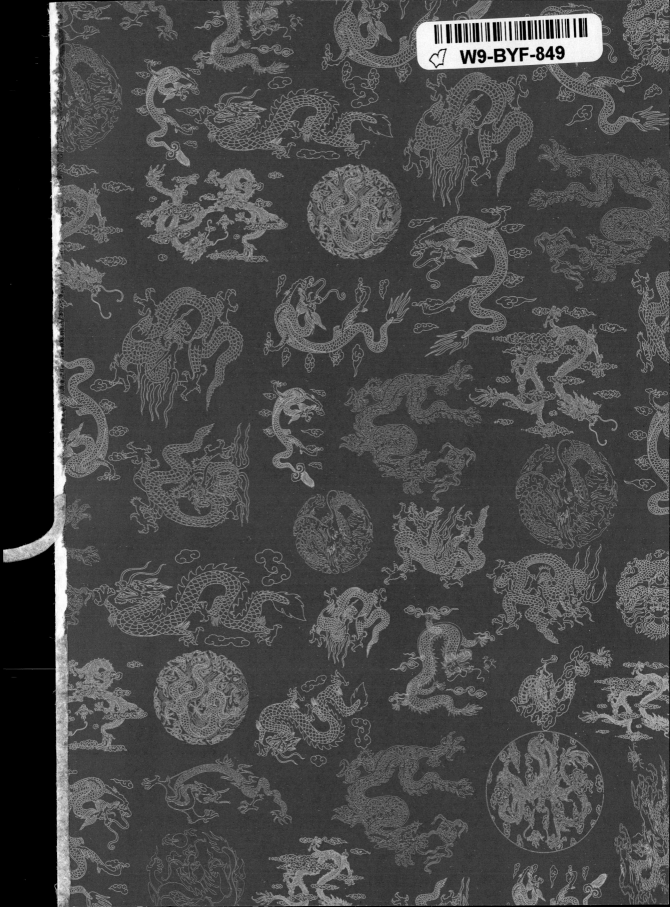

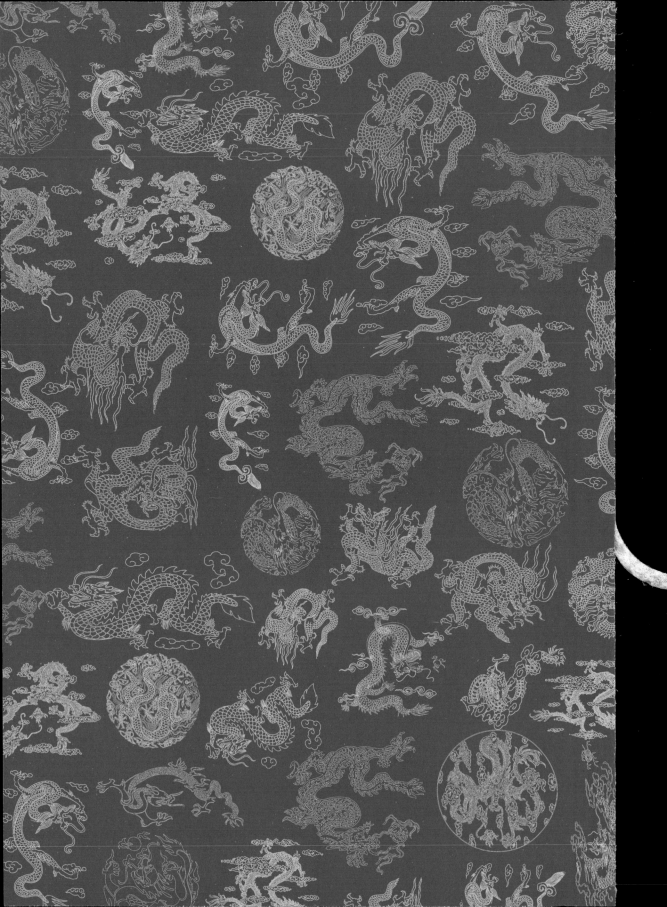

成大事者无不深谙韬晦之术

版权声明

　　"天下无谋"系列图书面世以来，广受读者欢迎，再版达十数次。近来，市面上出现一批以"天下无谋"为名的仿冒、劣质图书，严重损害了著作人及读者的合法权益。我们在此严正声明："天下无谋"系列图书著作权归智慧熊文化传媒有限公司所有，时代出版传媒股份有限公司、黄山书社出版的"天下无谋"系列图书为唯一合法、权威版本，任何非法改编、转载及盗用书名等侵权行为都将被追究相关法律责任。

时代出版传媒股份有限公司
黄山书社

韬晦术

原典 〔明〕杨慎 ◎ 杨明刚 译注

全 国 百 佳 图 书 出 版 单 位

时代出版传媒股份有限公司

黄山书社

图书在版编目(CIP)数据

韬晦术 /（明）杨慎原典；杨明刚译注. — 合肥：
黄山书社,2010.3
（天下无谋之秘卷八书）
ISBN 978－7－5461－1021－9

Ⅰ. ①韬… Ⅱ. ①杨…②杨… Ⅲ. ①谋略－中国－
古代 Ⅳ. ①C934

中国版本图书馆 CIP 数据核字(2010)第 035081 号

韬晦术　　　原　典:(明)杨　慎　　译　注:杨明刚

出 版 人:任耕耘　　　　选题策划:闻　钟　　　责任编辑:周　红
特约编辑:贺宝恕　三　可　　责任印制:李　磊　　　装帧设计:朗观设计

出版发行:时代出版传媒股份有限公司(http://www.press-mart.com)
　　　　　黄山书社(http://www.hsbook.cn/index.asp)
　　　　　(合肥市翡翠路 1118 号出版传媒广场 7 层　邮编:230071)
经　　销:北京时代联合图书有限公司　　营销部电话:010－65513628
印　　刷:三河市百盛印装有限公司　　　电　话:0316－3650216

开本:720*998　1/16　　　印张:18　　　　字数:300 千
版次:2010 年 3 月第 1 版　　2016 年 5 月第 5 次印刷
书号:ISBN 978－7－5461－1021－9　　　定价:35.00 元

订购热线:13911893133

谋略与文化

（总序）

也许，真的像有人所说的，中国文化是一种谋略型的文化。但是，当下谋略类书籍的流行却似乎与所谓的"谋略型中国文化"并无太大的关系，起码没有本质的联系。因为文化的深处未必是谋略，而"谋略"的深处一定是文化。

在中国历史上，存在着儒、道、兵、法、墨、纵横、阴阳等许多学派。这些主要的学派不仅非常关心政治，还不约而同地指向了"治人"，而治人就必须讲究方法，讲究方法就是智谋，就是谋略，就是权术。然而，当时的实际情形是智谋被提升为一种牢不可破的社会制度性的规范和原则，各种学派和文化都在智谋中找到了自己的定位，纳入了谋略的范畴，成为智谋的不同组成部分。这样一来，中国的智谋型文化就形成了。

在历史上，对中国的智慧、谋略、政治有影响的学派虽有十几家，但影响最大的主要是儒、道、法三家。中国的智慧和政治虽然常常呈现出纷纭复杂的状态，其实万变不离其宗，只要掌握了这三家的思想精核，也就把握住了中国的谋略和智慧。

儒家的智慧是极为深刻的。它是一种非智谋的大智谋，其运谋的方法不是谋智，不像法家或兵家那样直接以智慧迫使对方服从；而是谋圣，即从征服人心着手，让人们自觉自愿地为王道理想献身。用今天的话讲，就是非常注重做"政治思想工作"，首先为人们描绘一幅美好的蓝图，并百折不挠地到处宣传这种理想，直到人们心悦诚服。其实，这已经不是儒家谋略的高明，更不是儒家谋略比别的学派的谋略狡诈，在这里，它已经上升到了人性、人道的范畴。这就是儒家智谋的合理性之所在，也是其成为真正的大智谋的根本原因。

法家的智慧很特殊。法家之法作为君主统治天下的手段，是建立在非道德的基础上的。法家之法的根源在于封建集权制，因此，它就特别强调"势"。"势"就是绝对的权威，是不必经过任何询问和论证就必须承认和服从的绝对的权威。有"法"无"势"，"法"不得行；有"势"无"法"，君主不安。但如何才能保证"势"的绝对性呢?这就需要"术"。"术"就是统治、防备、监督和刺探臣下以及百姓的隐秘的具体权术和方法。中国的"法制"最发达的地方就在于"法"与"术"联手创造的御臣、牧民的法术系统。"法"的实质是强力控制，"势"的实质是强权威慑，"术"的实质则是权术阴谋。这些都是直接为维护封建王权服务的。

道家的智慧是极为聪明的。黄老的有关著作处处流露出智慧的优越感，处处显示出对别的学派的鄙夷和不屑。黄老道术自以为是最聪明的学说，它认为天地万物都受道的支配。道是绝对的、永恒的，是永远不可改变和亵渎的；世间的人是有限的，对于道只可以体味、尊重和顺应。那么，如何体味和遵循道呢？黄老哲学认为，那就是要顺应自然，要无为，然后才能无不为。所谓"圣人无心，以天地之心为心"，说的就是圣人没有自己的主张，万物的自然运行就是圣人的主张。人如果不能体察道，就不能"知常"，不能顺应自然，在现实中就容易招致祸害。

当然，在具体的历史进程中，这三家的智慧从来没有单独存在过，总是相互融合，甚至进而吸收其他学派的思想，只是在不同的历史时期和不同的背景下各个学派的思想相互消长而已。

智谋型文化对于塑造中华民族的性格有着很大的影响，甚至在一定程度上决定了我们民族的性格特征。当然，这里不仅有正面的影响，也有负面的影响。在一定意义上，中国人的学问往往被理解成谋略，"世事洞明皆学问，人情练达即文章"，就是很有代表性的话。有许多中国人不惜把自己的一生都花在谋划、算计别人上，给社会带来了极大的内耗。遗憾的是，谋划和算计在长期的历史发展过程中，不仅有用，而且早已上升为一种根深蒂固的为人们所称许的处世态度。它已经不是一种"术"，而是人生的"道"，已成为中国人难以改变的文化精神。一般所说的中国人善于"窝

里斗"，就由此而来。

然而，中国的智慧首先是道而不是术，也就是说，术只是道的表现形式，道则是术的根本，是术的决定因素。只要掌握了道，术就会无师自通，就会自然而然地显现出来。无论是儒家、道家，还是法家、兵家，他们都是正大光明的"阳谋"学派，他们都有一个共同的特点，就是都要求首先提高自己的道德境界，加强自己的人格修养，然后才是智慧谋略。如果颠倒了这一关系，那就无论如何也弄不懂中国的智慧。

所以鲁迅先生说：捣鬼有术也有效，然而有限，成大事者，古今未有。

因为，权谋绝不仅仅是一种技术，中国权智在本质上是一种至为深刻的文化。只有人的身心内外都渗透了这种文化，才能自然而然地达到内谋谋圣、外谋谋智的境界，才能成为真正的圣、智兼备的谋略家。

冷成金

中国人民大学文学院教授

前　言

在中国无比丰富的权谋宝库中，韬晦术可以说是产生最早、使用也最为广泛的一种权谋。它是中国谋文化一个极其重要的组成部分。

洪应明说："鹰立如睡，虎行似病，正是他攫人噬人手段处。"看来动物也不乏韬光养晦的灵性。从人和动物的同源性来看，原始部落的初民显然已经掌握了这种权谋术。因此可以说，韬晦术随着人类的出现而诞生，随着人类的进化而丰富。

随着人类智慧的不断发展，韬晦术这门最古老的权谋也日臻完善成熟，到有历史记载的时候，已经先于其他权谋术登堂入室了。

周文王被纣王囚禁之时，已注定了杀身之祸。他用韬光养晦这一救命的不二法门，当着纣王使者的面吃下了亲生儿子的肉，虎口余生。他把韬晦术的"忍"字诀已运用到了极致，称其为古今第一"忍人"也未尝不可。

这也是历史上有明确记载的韬晦术的首次使用，其不凡的身手已到了后人难以企及的高度。此后，韬晦术的运用就几乎无时不有、无处不在了，最为人所熟知的莫过于《三国演义》中刘备种菜的故事了。

其实在韬晦术的行家高手中,刘备还很难榜上有名。春秋战国时的越王勾践、东汉光武帝刘秀和东晋王朝的奠基者王导才是高手中的高手,他们的一生都完整体现了韬晦术的精髓。

本书的作者杨慎,也是这样一位精通韬晦术的大家。

杨慎出生于一个显赫的家族,因著名的"撼门事件",险遭杀身之祸。可以说杨慎因挫折而韬晦,因韬晦而著述,成了明代看书最多、涉猎最博、著述最丰的文人。其大著《杨升庵文集》涉及内容甚为广博。近人考证,堪称古典性爱小说开山之作的《汉宫春秋》,便出于他的手笔。这卷《韬晦术》同样不见于《杨升庵文集》,一直流落民间。明末清初的儒学宗师钱谦益慧眼识金,考证认定为杨升庵手笔,视为拱璧,由此方重见天日,流传至今。

韬晦术是中国历代智谋之士的枕箱秘籍,是他们求生存、谋发迹的法宝。尽管人们对它心悦诚服,细加揣摩,并在政治争斗、官场角逐以及日常生活中不断运用,却没有人把它付诸笔端,写成一部专著,大有"君子远庖厨"的意味。这是因为封建历史中讲究的是"代圣人立言",韬晦术因此有了"阴谋"的嫌疑。有鉴于此,杨慎生前不把这部凝聚其心血的重要著作收入自己文集,就不难理解了。

其实,韬晦术只是一门以守为攻、以退为进的学问。它的"守"是为了"攻",它的"晦"是为了"亮",它的

"屈"是为了"伸"。不分皂白地将其归入"阴谋学"肯定是有失公允的。虽然历史上一些反面人物如袁世凯、蒋介石都是个中高手，但也有一些伟大人物如周恩来、邓小平对"韬晦"有经典运用。可以说,韬晦对中国历史的发展和时代的进步有着重要作用。尤其是邓小平在上世纪 90 年代制定的"韬晦"策略,为我国赢得了宝贵的十年经济大发展,这是有目共睹的。看来"韬晦"要看何人用、为了什么利益而用,这才是评价它的标准。

　　韬晦术是所有谋学中最具实用功效的一门学问。翻开此书,读者会发现,历史上许多著名人物由于对"韬晦术"的疏陋,付出了极为惨痛的代价;另一些人则由于能对它巧妙加以运用,不仅逢凶化吉,甚而获得了出乎本人预料的成功。这样的例子不胜枚举。问题的关键不是了解多少韬晦的案例,而是要知道"韬晦"有哪些要点,学会如何恰到好处地应用它,这正是本书想告诉读者的。

目　录

- 要想看清自己周围的形势，最好的办法是躲在暗处。

- 保身的第一要诀是隐身，绝不能让自己成为别人攻击的靶子。

- 枪打出头鸟，切忌比别人站得高。

- 以小人治小人未必好，但用小人的法术还治小人之身却不仅有效，而且事半功倍。

- 要想出人头地，就要先学会矮人一头。

天下无谋
——韬晦术

✦ 处晦卷 第二

- 解除对手敌意的最好办法是主动表示友谊,而且一定要让对手笃信不疑。

- 偶尔做回小人也是保身之道。

- 镇静持重是处晦的必要手段,不能有丝毫的急躁心理。

- 如不想总是处于弱势,示弱则是必须的,处晦方能向阳。

✦ 养晦卷 第三

- "日用不足,月用有余。"不在一事一处上见长,却在每事每处上见长。这是古人治国的最高境界。

- 收敛自己的锋芒,藏好自己的棱角,这是养晦的必由之路。

- 名与实相表里,名者皮也。有名无实者凶,有实无名者吉。

- 鹰立如睡,虎行似病,正是养晦的最佳状态。

❖ 谋晦卷 第四　　　　　　113

- 有谋方能有勇,有谋方能出奇,谋是所有成功者的通行证,无谋则是所有失败者的墓志铭。

- 晦非素有,则以谋成。

- 小事小节往往是大事大节的关键。

- 你能满足别人的需要,别人才会满足你的需要。

- 劝谏如同治病,对症下药才能收到预期效果。

- 权力永远是双刃剑,使用不当便会自受其害。

● 忍,表面上看很窝囊,实际是柄无往而不利的武器,运用好这柄利器,便能建功名,取富贵,甚至得天下。

● 小人往往比君子更能忍辱,但却是无耻的,事情虽相近,性质却截然相反。

● 古有避事者,也有避世者,专看事与世的凶险程度。

心晦卷　第七　　　217

携妓东山的谢安·李沆的先见之明·朱元璋的缓称王·任职却不任官的彭玉麟·胡广的中庸术·怕见贵人的颜延之·田畴义不受封·王旦设箱烧奏章

● 要对付一个人,就要先想法让他骄傲,骄傲就会变得很愚蠢。一个既愚蠢又骄傲的人是最容易被打倒的。

● 不要仅仅看到小人的无耻,如要战而胜之,更要看到他的才能。

● 义重于生,舍生可也;生重于义,全生可也。

● 大智若愚,但一定要让人发现这种智,否则就只能是愚蠢了。

● 鱼不可脱离水,龙不可脱离渊,人不可脱离权。

用晦卷 第八　　　　247

周世宗斩将立威·慕容垂择机兴燕·查容假醉避祸·陈树屏片言解纷·
仇钺的叛中之叛

● 养晦只是一种手段，奋发其威才是目的，养而不用就
不是韬晦，而是隐逸了。

● 时机的把握是最重要的，早则火候不到，前功尽废；
迟则机会丧失，悔亦无及。

● 事事要为自己留后路，也要为别人留后路。

韬晦术 明·杨慎

|原 文|

隐晦卷 第一

东坡曰："古之圣人将有为也，必先处晦而观明，处静而观动，则万物之情，毕陈于前。"

夫藏木于林，人皆视而不见，何则？以其与众同也。藏人于群，而令其与众同，人亦将视而不见，其理一也。

木秀于林，风必摧之；人拔乎众，祸必及之，此古今不变之理也。是故德高者愈益俭伏，才俊者尤忌表露，可以藏身远祸也。

荣利之惑于人大矣，其所难居。上焉者守之以道，虽处亢龙之势而无悔；中焉者守之以礼，战战兢兢，如履薄冰，仅保无过而己；下焉者率性而行，不诛即废，鲜有能保其身者。

人皆知富贵为荣，却不知富贵如霜刃；人皆知贫贱为辱，却不知贫贱乃养身之德。倘知贫贱之德，诵之不辍，始可履富贵之地矣。

处晦卷 第二

夫阳无阴不生，刚无柔不利，明无晦则亡，是故二者不可偏废。合则收相生相济之美,离则均为无源之水,虽盛不长。

晦者如崖,易处而难守,惟以无事为美,无过为功,斯可以免祸全身矣。势在两难,则以诚心处之,坦然荡然若无事然,勿存机心,勿施巧诈,方得事势之正。

物非苟得则有患得患失之心,而患得当先患失,患失之谋密,始可得而无患,得而不失。音大者无声,谋大者无形,以无形之谋谛有形之功,举天下之重犹为轻。

事之晦者或幽远难见,惟有识者鉴而明之,从容谛谋,收奇效于久远。祸福无常,惟人自招。祸由己作,当由己承,嫁祸于人,君子不为也。福无妄至,无妄之福常随无妄之祸,得福反受祸,拒祸当辞福,福祸之得失尤宜用心焉。

养晦卷 第三

夫明晦有时,天道之常也,拟于人事则殊难形辨。或曰:"'君子以自强不息',何用晦为?"此言虽佳,然失之于偏。

天有阴晴,世有治乱,事有可为不可为。知其理而为之谓之明智,反之则为愚蠢。晦非恒有,须养而后成。善养者其利久远，不善养者祸在目前。晦亦非难养也，琴书小技，典故经传，善用之则俱为利器。醇酒醉乡，山水烟霞，尤为养晦之鼎炉。

人所欲者，顺其情而与之。我所欲者，匿而掩之，然后始可遂我所欲。君子养晦，用发其光；小人养晦，冀逞凶顽。晦虽为一，秉心不同。至若美人遭嫉，英雄多难，非养晦何以存身？愚者人嗤，我则悦安，心非悦愚，悦其晦也。愚如不足，则加以颠。既愚且颠，谁谓我贤？养晦之功，妙到毫巅。

谋晦卷 第四

若夫天时突变，人事猝兴，养晦则难奏肤功，斯即谋晦之时也。

晦以谋成，益见功用，虽匪由正道，却不失于正，以其用心正也。谋晦当能忍，能忍人所不能忍，始成人所不能成之晦，而成人所不能成之功。

夫事有不可行而又势在必行，则假借行之势以明不可行之理，是行而不行矣。破敌谋、挫敌锋、勇武猛鸷，不如晦之为用。至若万马奔腾、千军围攻，我困孤城，勇既不敌，力不相侔，惟谋惟晦，可以全功。

晦者忌名也，以名近明，有亢上有悔之虞。负君子之重名，偶行小人之事，斯亦谋晦之道也。己所不欲，拂逆则伤人之情,不若引人入晦,同晦则同欲,无逆意之患矣。人欲无厌,拒之则害生,从之则损己,姑且损己从人,继而尽攘为己有。居众所必争之地,谋晦以全身,谋晦以建功,此又谋晦之大者也。

诈晦卷 第五

诈虽恶名,亦属奇谋。孙子曰:"兵不厌诈。"施之于常时,人亦难防。运诈得理,可以成晦焉。

直道长而难行,歧路多而忧亡羊,妙心辨识,曲径方可通幽。

诈以求生,晦以图存。非不由直道,直道难行也。操以诈而兴,莽以诈得名,诈之为术亦大矣,虽贤人有所不免。厌诈而行实,固君子之本色;昧诈而堕谋,亦取讥于当世。是以君子不喜诈谋,亦不可不知诈之为谋。

人皆喜功而诿过,我则揽过而推功,此亦诈也,卒得功而无过。君臣之间,夫妇之际,尽心焉常有不欢,小诈焉愈更亲密,此理甚微,识之者鲜。诈亦非易为也,术不精则败,反受其害,心不忍不成,徒成笑柄。

避晦卷 第六

易曰:"趋吉避凶。"夫祸患之来,如洪水猛兽,走而避之则吉,逆而迎之则亡。是故兵法三十六,走为最上策。

避非只走也,其道多焉。最善者莫过于晦也。扰敌、惑敌,使敌失觉,我无患焉。察敌之情,谋我之势,中敌所不欲,则彼无所措手矣。居上位者常疑下位者不忠,人之情不欲居人下也。遭上疑则危,释之之道谨忠而已。

如若避无可避,则束身归命,惟敌所欲,此则不避之避也。避不得法,重则殒命,轻则伤身,不可不深究其理也。古来避害者往往避世,苟能割舍嗜欲,方外亦别有乐天也。避之道在坚,避须避全,勿因小缓而喜,勿因小利而动,当执定深、远、坚三字。

心晦卷 第七

心生万物,万物唯心。时世方艰,心焉如晦。鼎革之余,天下荒残,如人患赢疾,不堪繁剧,以晦徐徐调养方可。至若天下扰攘,局促一隅,举事则力不足,自保则尚有余,以晦为心,静观时变,坐胜之道也。

夫士莫不以出处为重,详审而后始决。出难处易,以处之心居出之地,可变难为易。廊庙枢机,自古为四战之地,跻身难,存身尤难。惟不以富贵为心者,得长居焉。古人云:"我不忧富贵,而忧富贵逼我。"人非恶富贵也,惧富贵之不义也。

兴利不如除弊,多事不如少事,少事不如无事。无事者近乎天道矣。

用晦卷 第八

制器画谋,资之为用也,苟无用,虽器精谋善何益也。

沉晦已久,人不我识,虽知己者莫辨其本心。用晦在时,时如驹逝,稍纵即逝之矣。

欲择时当察其几先,先机而动,先发制人,始可见晦之功。

惟夫几不易察,幽微常忽,待其壮大可识,机已逝于九天,杳不可寻矣。

是故用晦在乎择时,择时在乎识几。识几而待,择机而动,其惟智者乎?

东坡曰："古之圣人将有为也，必先处晦而观明，处静而观动，则万物之情，毕陈于前。"

夫藏木于林，人皆视而不见，何则？以其与众同也。藏人于群，而令其与众同，人亦将视而不见，其理一也。

木秀于林，风必摧之；人拔乎众，祸必及之，此古今不变之理也。是故德高者愈益偓伏，才俊者尤忌表露，可以藏身远祸也。

荣利之惑于人大矣，其所难居。上焉者守之以道，虽处亢龙之势而无悔；中焉者守之以礼，战战兢兢，如履薄冰，仅保无过而已；下焉者率性而行，不诛即废，鲜有能保其身者。

人皆知富贵为荣，却不知富贵如霜刃；人皆知贫贱为辱，却不知贫贱乃养身之德。倘知贫贱之德，诵之不辍，始可履富贵之地矣。

要想看清自己周围的形势，最好的办法是躲在暗处。

保身的第一要诀是隐身，绝不能让自己成为别人攻击的靶子。

枪打出头鸟，切忌比别人站得高。

以小人治小人未必好，但用小人的法术还治小人之身却不仅有效，而且事半功倍。

要想出人头地，就要先学会矮人一头。

原文

东坡曰："古之圣人将有为也，必先处晦而观明，处静而观动，则万物之情，毕陈于前。"

译文

苏东坡说："古代圣人要做一件大事时，一定要先置身暗处观察明亮处其他人的行动，自己保持静默，从而细心观察别人的举动。这样，所有人的内外情形就都真实地展现在自己眼前了。"

【事典】一鸣惊人的楚庄王

春秋战国时期，楚庄王即位伊始，便受到内外的瞩目，因为他的祖父、父亲两代国王都很有作为。楚国上下希望他能继承父、祖遗志，开疆拓土，使楚国更加强盛。而邻近的小国则是战战兢兢，危不自安，甚至连中原的大国秦国、晋国也密切注意楚国的动向。

然而出人意外的是，楚庄王即位后，根本不理国政，每日里不是在宫中听音乐，饮美酒，与妃婢们寻欢作乐，便是率领卫士去深山大泽打猎，一副标准的酒色荒淫国王的形象。

楚国的大臣们自然不甘心楚国前两代国王奋斗的成果就此毁灭，纷纷入宫劝谏。楚庄王置之不理，我行我素。后来听得烦了，他干脆在王宫外立一道牌子，上写：敢入谏者死。严令之下，楚国的大臣们大概觉得还是保命要紧，真的没人敢再劝谏了。

楚庄王日以继夜，荒淫不已，一连持续了三年。国王不理朝政，下面自然乱作一团，权臣们借机树党争权；谄谀小人们则逢迎拍马，捞取官职；贪官们更是浑水摸鱼，中饱私囊。楚国的政治一下子陷入了混乱无序的状态,而忠臣贤良只有扼腕叹息的份了。

楚国的大夫伍举实在忍不住了。他决定入宫进谏,不过他也不愿意拿自己的头往刀刃上撞,于是想出了一个巧妙的方法。

他入宫见到楚庄王时,楚庄王正左搂郑姬,右拥越女,一边喝着美酒,一边听歌女们奏乐。见到伍举,楚庄王问道:"大夫是想喝美酒,还是要听音乐?"

伍举笑道:"臣既不想喝酒,也不想听音乐,而是听人们说大王智慧过人,所以想请大王猜个谜语。"

楚庄王知道伍举是要借机进谏,但既然伍举没明说,自己也不必点破。伍举说道:"在楚国的一座高山上,停落着一只大鸟。它羽毛五彩缤纷,异常华丽,可是三年来它既不鸣叫,也不飞走,臣实在不明白其中的原因。"

楚庄王沉思片刻,说道:"这不是一只平凡的鸟,它三年不鸣,是在积蓄自己的力量;三年不飞,是在等待看清方向。这只鸟不鸣则已,一鸣惊人;不飞则已,一飞冲天。你去吧,你的意思我都明白了。"

伍举听完楚庄王的解释后异常兴奋,他出宫后告诉自己的好友、同是楚国大夫的苏从:看来国王是很有头脑的人,他是在等待时机,而绝不是一个沉溺酒色的荒淫君主,看来楚国还是大有希望的。

几个月过去了,楚庄王不但没有丝毫起色,反而更加荒淫了。苏从感到受了骗,他全无顾忌,舍身直闯王宫,直言进谏:"您身为国君,不理国政,只知道

楚庄王

　　春秋时期楚国君主。在位期间选贤任能,改革内政,扩充军备,使楚成为春秋五霸之一。

镜　鉴

　　于暗处观察而后行动,胜算倍增。

享受声色犬马之乐，却不知道乐在眼前，忧在不远，不久就会民众叛于内，大国攻于外，楚国离灭亡不远了。"

楚庄王勃然大怒，拔出长剑，指着苏从的鼻尖，厉声叱道："大夫不知道寡人的禁令吗？难道你不怕死吗？"

苏从凛然正色道："假如我的死能让君王悔悟，能让楚国富强，我的死就是值得的。"

楚庄王看了苏从半晌，忽然扔下长剑，双手抱住苏从，感慨道："我等的就是大夫这样忠于国家、不怕死的栋梁。"他挥手斥退乐工舞女，与苏从谈论起楚国的政务来。苏从这才惊异地发现：国王对国家上下的了解比自己还要多。

楚庄王随后发布一系列政令，把那些权臣政客、谄谀小人、贪官和不称职的官员该杀的杀，该罢职的罢职，把那些像伍举、苏从一样忠于国家、有才能、刚直不阿的人提拔上来。一番洗涤振刷后，楚国的政治一下子从贪浊混乱变得清明而富有活力。

楚庄王待国内基础巩固后，不仅继续开疆拓土，平定了周围附属小国的背叛，而且挺进中原，夺得了霸主地位，成为历史上著名的"春秋五霸"之一。

释评

"不鸣则已，一鸣惊人"这则成语典故是尽人皆知的，然而它的深刻内涵却不是一般人所能想象得到的。

楚庄王即位时，楚国的情况表面上看来不错，但实际上却有隐忧，那就是：权臣夺利，小人充斥，群臣良莠不齐，忠奸难辨。楚庄王为了消除腹心隐患，从而登上中原霸主的地位，采取了异乎寻常的隐晦手段：他把自己装扮成一个荒淫君主的形象，不仅解除了周围国家对自己的戒心，更消除了群臣的顾忌，让他们尽情施展自己的手段，露出自己的庐山真面目。在苦等三年、摸清了所有的情况后，楚庄王猝然施展霹雳手段，将楚国政治振刷一新，从而达到"大乱然后大治"的目的。

而楚国能在短短的时间内，不仅摆脱了受人鄙夷的"蛮夷小国"的地位，而且能雄霸中原，根基正在于此。

原文

夫藏木于林，人皆视而不见，何则？以其与众同也。藏人于群，而令其与众同，人亦将视而不见，其理一也。

译文

把一棵树藏到树林里，人们都视而不见，这是为什么？因为它和别的树没有什么区别。把一个人藏到人群里，让他和周围的人没什么区别，人们也将视而不见，道理是一样的。

【事典】善用小人法术的徐阶

徐阶入阁当上大学士时，正是一代权相严嵩气焰最嚣张的时期。由于明朝实行内阁大学士制度，内阁大学士相当于以前朝代的宰相，只不过没有宰相的名称而已。明朝制度规定：内阁必须同时有几名大学士共同辅政，以防有人专权。所以严嵩虽然势倾朝野，却也不能一个人独占内阁。

徐阶也和嘉靖王朝的其他宰相一样，是因为善于撰写明世宗斋醮所需要的"青词"才得以入阁拜相。但他没有重蹈以前那些宰相的覆辙，既不标新立异，也不和严嵩发生正面冲突，在政务上保持沉默跟随的态度，让严嵩感到没有威胁；而在青词的撰写上则精益求精，来讨得明世宗的欢心。他偶尔也会在一些无关紧要的问题上提出自己的独特见解，既不会让严嵩起太大的戒心，又向明世宗表明自己和严嵩并非沆瀣一气，因为臣子结党营私同样是明世宗的大忌。

徐阶以勤勉谨慎赢得了明世宗的信任，严嵩对他也很满意。这一年，世宗所居的西内万寿宫发生大火，世宗想要重修万寿宫，询问严嵩。严嵩一时失察，没有揣摩透世宗的真实意图，考虑到重建宫殿缺乏木材，时间也太紧，便请世宗暂时迁到南城离宫。殊不知这恰好触中世宗的忌讳，南城离宫乃是明英宗当太上皇时所居住的。世宗心内恼火，便转问徐阶，徐阶力赞世宗重修万寿宫，用当年修三大殿剩余的木材，责成工部，可计日功成。明世宗大为满意，便让徐阶的儿子督建万寿宫，仅用三个多月时间便重建完成。

因此一事，明世宗觉得徐阶比严嵩更为称职，对严嵩则觉得不太满意。严嵩当时已八十多岁，世宗认为他太老了，不过也还无意黜退他。

严嵩专权日久，宫内的宦官和方术道士们对他也嫉妒在心，观察到世宗对严嵩的宠爱已逐渐倾移到徐阶身上，便想趁机扳倒严嵩，只是没找到突破口。御史邹应龙避雨时误入一宦官家，了解到这一情况，觉得这是扳倒严嵩的最好时机，不过他不敢贸然行事，便先向徐阶请教。徐阶告诉他，要想除去严嵩，不能直攻严嵩，因为严嵩作恶多端，都是巧借皇上之手做的，攻严嵩极易牵连到皇上。皇上自负英明，死不肯认错，以前攻击严嵩的大臣无不获罪，诛死者连连，便是为此。所以要想攻击严嵩，得从他的儿子严世蕃入手。

邹应龙得到徐阶面授机宜，回去后揣摩一夜，于第二天早上抗章弹劾严世蕃，指出他贪财揽贿、贿赂公行、居母丧纵酒荒淫几大罪。嫉恨严嵩的宦官把这封谏章直接送到明世宗案上，明世宗看过后心有所动。恰好请道士蓝道行为他扶乩降仙，蓝道行已得宦官们请托，从中大做文章。

世宗心有所思，便问请来的乩仙辅臣是否贤良。乩仙降辞说："辅臣严嵩专权揽

明代釉里红松竹梅纹玉壶春瓶

贿，实属大奸大恶。"世宗大惊，问道："既然如此，上仙何不诛之？"乩仙说："留待陛下诛之。"

世宗笃信道教，对乩仙的话信之不疑，便决意罢免严嵩。他把严世蕃发配到雷州，勒令严嵩退休。于是，专权二十年、祸遍天下、大臣们屡攻不能去的奸相严嵩，被徐阶巧妙除掉了。

然而事情并未结束，严嵩虽去，却并没有治罪。世宗虽因严世蕃的罪恶罢免了严嵩，却顾念他侍奉自己二十年，赞修玄功的功劳不小，依然对他很怀念。后来蓝道行借扶乩暗做手脚的事败露，世宗大怒，立斩蓝道行，并迁怒邹应龙，斥之为"丑类"。若非徐阶保护，邹应龙的结局也不会很妙。世宗越发有意召回严嵩，徐阶也暗暗自危。

徐阶知道不能坐以待毙，便派御史林润巡视福建。严世蕃虽被流放，却根本不赴戍所，反而在江西老家大兴土木。林润便上表弹劾严世蕃不但毫无悔过之心，反而心怀怨望，蓄养壮士，勾结山中盗贼，并且暗通倭寇，有负险谋反之意。世宗看罢大怒，立命林润将严世蕃捉拿进京拷问。

林润和大理寺的官员审讯严世蕃后，把他的罪状罗列无遗。严世蕃在狱中却笑着对同党说："别怕，皇上看过后就会放了我们。"别人都不知何意。

徐阶看过狱词后，对大理寺的官员说："你们这是要严公子活啊？"大理寺的官员说："一定要让他死，怎会让他活？"徐阶说："这些罪都是严嵩父子巧借皇上之手做的。你们把这些列为罪状，死的是你们，严公子明天就骑着马出城门去了。"大理的官员惶恐请教，徐阶拿起笔，亲手删削，只坐实严世蕃勾结倭寇、图谋造反一事。严世蕃听说后，惊诧道："死了，死了。"世宗看过狱词后，果然大怒，将严世蕃斩首，家产抄没充公。曾聚财无数的严嵩最后竟饿死在别人的坟墓旁。

释评

明世宗是昏庸帝王中较为特殊的一个，他虽然信奉道教，极少上朝，却从未放弃手中的权力，而在明朝历史上几乎贯穿始终的宦官乱政、锦衣卫和东厂肆虐的现象只有在嘉靖年间绝迹。然而明世宗重用严嵩，二十年信任不疑，同样祸遍天下，天怒人怨。而明朝由强盛转为衰弱，正是从嘉靖年间开始的。《明史》称世宗是"中材之王"，也有一定的道理。

徐阶夹在世宗和严嵩两个同样多疑的人中间，日子自然不好过，既要让皇上满意，又要让严嵩能够容忍，这几乎是不可能的事。至少徐阶以前的大学士们无人能做到，只有徐阶做到了。

借重修宫殿一事夺取世宗对严嵩的宠眷，攻严世蕃而不攻严嵩，放弃严氏父子现成的累累之罪恶，单单坐实严世蕃根本没有的"谋反"大罪，置严氏父子于死地，这些都显示出徐阶在官场上的超人智慧。

以小人治小人未必妥帖，但用小人的法术还治小人之身却不仅有效，而且事半功倍。许多君子败于小人之手都是因为不会或者不屑使用这种方法。徐阶却是不仅愿意，而且善于使用这种方法的君子。

原文

木秀于林，风必摧之；人拔乎众，祸必及之，此古今不变之理也。

译文

一棵树高出于树林，大风必然把它吹折；一个人鹤立鸡群，祸患也必然降到他身上。这是从古至今不能改变的道理。

【事典】才高遭忌的解缙

解缙是明初著名才子，洪武二十一年（1388 年）进士。明太祖朱元璋特别喜爱他的才能，让他每天在自己身边，朝夕谈论不倦，待之如家人父子，宠遇一时无比。

解缙受宠日深，便想到"食君之禄，忠君之事"的古训，又自负才高，敢言人所不敢言。他给朱元璋上了一封万言书，指出朱元璋"御下严苛"，滥诛大臣，以喜怒为赏罚等诸多毛病，又首次提出分封给亲王的权力过大，恐后世会危及朝廷。

解缙所言无不深中朱元璋的弊病，所言分封当时虽未见弊端，后来成祖朱棣起兵燕京，夺了侄儿建文帝的皇位，解缙可谓有先见之明。然而这些都是朱元璋的大忌，前前后后群臣应对奏章中哪怕有暗示隐喻这些弊病的意思，都会被严刑处死，甚至灭族。解缙尽言无隐，言辞也犀利无比，朱元璋却体谅他的忠心，虽然并不采用，也不怪罪，对左右侍臣连声夸赞解缙"高才"。

解缙受此鼓励，越发敢言。明初宰相李善长因受胡惟庸谋反一案牵连，被朱元璋借"星变"之名杀死，举朝无人敢言其冤。解缙却想为李善长鸣不平，恰好工部侍郎王国缙也有此意，两人一拍即合，以王国缙的名义，由解缙草疏，上章为李善长鸣冤。

朱元璋看罢奏章后大怒，本想重惩王国缙，后来知道奏章出自解缙之手，只好置之不理。但朱元璋也怕解缙再闹下去，令他无法收拾，便让解缙的父亲把他领回家，再读书十年，然后回朝做官。朱元璋对群臣从不姑息，稍有过错便严刑立至，独独对解缙爱护备至，解缙屡触忌讳，还能保全首领，也算是

解　缙

　　明朝第一位内阁首辅。洪武二十一年（1388年）进士，官至翰林学士。

镜　鉴

　　有才更须有度，不知进退则祸至。

例外中的例外了。

解缙回家乡读书只有八年，朱元璋病逝，建文帝即位。不过建文帝欣赏重用的是方孝孺、齐泰、黄子澄这些人，并不起用解缙，解缙在建文帝时期只能默默度日。

明成祖朱棣起兵燕京，经四年血战，攻取南京，大臣不是逃去，便是自杀殉国，降附朱棣的人很少，解缙却率先到宫中朝拜朱棣。朱棣早闻解缙的才名，又知他是先皇朱元璋最喜欢的人，况且他又最早归附自己，可为群臣表率，于是马上重用，让他和杨荣、杨士奇、胡广、黄淮、金幼政、胡俨等人组成内阁，充当自己的顾问，而且以解缙为主。这就是明朝内阁制度的由来，解缙便是明朝内阁的第一任首辅，只不过此时的内阁是皇帝的一个智囊团，权力也没有后来的内阁那样大。

解缙深得朱棣赏识，又犯了在朱元璋手下的老毛病，知无不言，言无不尽，毫无隐讳。应该说朱棣对臣下的宽容比他父亲要强得多，朱元璋把手下功臣杀得一干二净，朱棣对手下功臣却是一个不杀，个个富贵天年。解缙在相对宽松的环境下，越发放言无忌，无事不敢为，却为自己种下了杀身的祸根。

一次朱棣在一张纸上写了几位朝廷大臣的名字，让解缙品评其短长，解缙直言无所隐，把这些人的毛病揭示得淋漓尽致，朱棣也认为他说得很对。这些大臣知道后，却恨解缙入骨，一有机会便在朱棣面前指摘解缙的过失，大进谗言。众口铄金，久而久之，朱棣也不能无动于衷，况且解缙才高气傲，不拘小节，本就是容易犯小错误的人，积累到一起，就成了大毛病。

在随后朱棣要更换太子的"易储"风波中，解缙又死保太子，联络群臣，大造声势，维护太子的地位。朱棣虽迫于群

明代云牙嵌珠翘头案

臣的压力,最终没有更换太子,但一想到要让自己厌恶的儿子承继江山,心里就堵得慌,罪魁祸首自然非解缙莫属。朱棣的二儿子朱高煦因没当上太子,更是恨不得吃解缙的肉,天天寻找机会欲置解缙于死地。有一次,他诬陷解缙向外泄露宫廷中的秘密。朱棣也不管是否属实,便把解缙贬官为广西布政司参议。

永乐八年(1410年),解缙从广西回京述职,朱棣正领兵出塞攻打蒙古,解缙没见到朱棣,便向当时留守京师监国的太子禀报事情,然后就回广西了。朱高煦知道后,便诬陷解缙趁皇上不在时私自朝见太子,图谋不轨。朱棣蓄怒于心很久了,再加上朱高煦的诬陷,身边大臣的挑拨,勃然大怒,派锦衣卫把解缙捉回京师,投入诏狱,严刑拷问,所牵连的人无不下狱。五年后,朱棣便命锦衣卫指挥纪纲在狱中把解缙处死。那年解缙仅四十七岁,一代人杰就此陨灭。

释评

解缙受知于明太祖、成祖父子两代,宠遇之深无人可比,最后却惨遭诛死,可谓悲惨。而解缙在最喜欢杀人的朱元璋手下能安然无事,却死于待人还算宽厚的朱棣之手,就在于两人重用解缙的程度不同。

朱元璋虽重用解缙,但一旦觉得难以容忍他的直言无忌时,便把他打发回家,挫一挫他的锋芒,以免他招来杀身之祸,可以说是真正爱护他了。假如解缙不回家乡读书八年而是继续在京供职,可以肯定地说他不会活过洪武年间。此无他,才高本来就遭众人的嫉妒,毁言日至,自己又丝毫不知收敛,危言危行立于朝廷,没有不遭杀身之祸的,这也是封建王朝的家天下不可避免的弊端。

朱棣任用解缙始终如一,解缙触犯朱棣的大忌比触犯朱元璋的大忌要多许多。朱棣虽然恨他,却也无心杀他,只是把他贬官了事,图个眼不见心不烦。偏偏解缙名士风度,不拘小节,朝拜太子而不朝拜皇帝,虽事出有因,却让人误解为私自向太子表功,以图将来太子继位后重用自己。这是组建太子的党羽与皇帝对抗。朱棣即便英明如唐太宗,宽厚如康熙圣祖,解缙想不死也是不可能的了。

解缙之死是在下狱五年后,纪纲先把他用酒灌醉,然后将其埋在雪里冻死,虽然痛苦些,倒落个全尸,也可算得上"皇恩浩荡"了。

原文

是故德高者愈益偃伏,才俊者尤忌表露,可以藏身远祸也。

译文

所以德高望重的人更应该深居简出,谨言慎行,而才能出众的人尤为忌讳自我张扬。这样才可以藏住身形,远离祸患。

【事典】不脱袈裟的道衍

道衍是明初的名僧,以写诗作文闻名于世,连明初的一代儒学宗师宋濂对他也是赞赏有加,然而道衍的志向却不在诗文上,也不在精研佛学上,而是要投身红尘,干一番轰轰烈烈的事业。

明太祖朱元璋的第四个儿子——分封北平的燕王朱棣因奔母丧来到京师,与道衍见了一面。两人彼此有心,一拍即合,朱棣便把道衍带回北平,请他主持北平西郊的大庆寿寺。

道衍虽名为主持,却整天待在燕王府里,与燕王密商大事。两人躲在密室里,没人知道他们在商议什么,不过朱棣已贵为亲王,再有所想自然也就是皇帝的九五之尊了。

朱元璋去世后,建文帝即位,因不满皇叔们的骄横不法,恐怕形成尾大不掉之势,遂决意削藩。

道衍力劝燕王起兵夺权,燕王觉得自己与朝廷相比,力量悬殊过大,而且建文宽厚仁义，民心归附，所以顾虑重重。道衍却摆出种种理由打消他的顾虑，又为他全盘策划起兵造反的事宜。燕王在道衍的劝说下决意起兵，以府中八百壮士设计擒斩了北平的主要将领和官员，夺取了北平的控制权。

随后四年的时间里，道衍一直作为朱棣的主要谋士，为他尽心筹划军事方略。朱棣对道衍也是倾心相待，言听计从。朱棣带大兵出征，则让道衍镇守北平，把世子和王妃宫眷都交到道衍手中，足见朱棣对道衍信任之深。而朱棣的行军路线，进攻或者撤退，也都听道衍一言而决。有一次，朱棣领兵济南城下，连攻不克，舍弃又不甘心。道衍派一名使者到军中，只在一张小纸条上写道："士气不振了，请回师北平休整。"朱棣看后立刻拔寨回师，毫不犹豫。

道衍最后给朱棣献上一条看上去凶险的计策：从北平直趋京师，中间不攻打城市，只要夺取南京，建立帝号，天下便可闻风降服。朱棣依计而行，竟一举而夺得京师，建文帝自焚身亡。朱棣在南京即位称帝，各地果然纷纷降附，朱棣便成了中国历史上唯一一位以藩王起兵夺取政权的皇帝。

朱棣大封功臣，以为道衍运筹帷幄如同汉时张良，居中镇守不亚萧何，功劳最大，便封他为荣国公，代代传袭。朱棣又和徐皇后劝他还俗，娶妻生子，和他们共享天下的富贵荣华。朱棣赐与道衍的俗家名为姚广孝，又赐他宅邸一套、宫女两名，赏赐之厚不是其他功臣所能比拟的。

明代瑞兽童子

道衍却只接受了赐名和荣国公的爵位，宅邸和宫女却坚辞不受。朱棣再三相强，道衍却执意不从，朱棣也只好随他的意了。后来太子从北平迁到南京，朱棣便请道衍出任太子少师，辅佐太子。明朝的宫保官职（太子太师、太傅、太保，太子少师、少傅、少保）只是作为文武大臣的加官，和东宫事务没有任何关连，只有道衍一人负有辅导太子之责。朱棣见了道衍，也称呼"少师"，而不称名字，以表明自己对他的尊崇。

道衍辅佐朱棣成就辉煌帝业后，却和先前判若两人，对国家政务一言不发，再不向朱棣进一言、出一策，有如进了曹营的徐庶。早上，道衍一身朝服随班上朝，退朝后却住在庆寿寺里，一身袈裟，虔诚礼佛，对于东宫事务也不过问。当时朱棣有心废除太子，另立二儿子朱高煦，满朝文武以死力争，身为太子师傅的道衍却一言不发，仿佛此事与自己没有一点关系。

道衍立身朝廷，唯一做的一件事就是任编纂《永乐大典》的总管，但其实也是挂名而已，具体事务都是由解缙这班文士完成的。

道衍的好朋友——建文帝的主录僧溥洽被朱棣关入诏狱。因为建文帝自焚后找不到尸体，人们传言建文帝从宫中秘道出走。这事成了朱棣最大的心病，他唯恐建文帝真的没死，有朝一日东山再起，所以派人四处搜寻。又有人说溥洽知道建文帝出走的去向，甚至说是他把建文帝藏匿起来。朱棣便关押溥洽，要在他身上得到建文帝的确切消息，一关就是十几年，却毫无所得。

道衍虽身居高位，却不敢为溥洽辩明冤屈，更不敢出言相救。直到临死前，朱棣去他住所探视，询问他有何身后事要嘱托，道衍才提出请求放了溥洽。朱棣立刻命人去放了溥洽，好让道衍死无所憾。

道衍死于永乐十六年（1418年）三月，享年八十有四。朱棣痛哭不已，亲手撰制碑文记载道衍的功勋，又把道衍生前力辞的荣国公爵位追封给他。仁宗继位后，也感念道衍对自己辅导保护的功德，为他追加王爵。

释评

明成祖朱棣雄武刚毅，知人善任，常自比为唐太宗，论其文事武功倒也不相上下，唐初的贞观，明初的永乐，都是中国历史上很少出现的太平盛世。唐太宗弑兄欺嫂，逼父篡位，后世人竟略其过而美其功，而明成祖诛杀建文忠臣，却得了个暴虐的恶名。这不是别的原因，而是因为唐太宗杀的都是自己的家人，与外人无关，而明成祖诛杀的都是文人，写历史的自然也都是文人，君子讳伤其类也。然而朱棣屠杀建文忠臣，不在人数的多少，而在于他手段的惨无人道，这一点大概连秦始皇也自叹不如,只有北齐的几个无道昏君堪相比拟。朱棣晚年也痛悔不已,只是无法消除这块污点罢了。

道衍以一介方外人成此大功,可谓是和尚中第一人,然而道衍的心机也够深邃的。徐庶进曹营一言不发是不愿帮助曹操,道衍却是因为自己功劳过大,唯恐惹祸上身,才保持低调的。不脱袈裟、不同世务,正是要向朱棣表明心迹,消除君主对功臣的猜疑,道衍所想保住的不是荣华富贵,而是身家性命。

汉初的张良得汉高祖刘邦相遇之重,相知之深,尚且要遁身方外,从道士游,来远祸全身。道衍倒是省了这一层,他本来就是和尚,只要保持本色即可。面对功名富贵,一般人都会昏了头脑,唯恐得之不多,居之不久,到头来也都因功名富贵而丧身灭族。道理正是如此,每个人也都明白,但真正像道衍那样能做到远祸全身的就没有几人了。

荣利之惑于人大矣,其所难居。

荣华利禄对于人的诱惑力是最大的,然则荣利场却是最难站住脚的。

【事典】穷奢极欲的郭子仪

郭子仪是再造大唐的功勋,而且以一身系天下安危达数十年,历史上少有其比,然而郭子仪却也有另外的一面——穷奢极欲。

唐朝官员的俸禄是很高的,郭子仪数十年出将入相,身居高位,俸禄的收入就已相当可观,而家中子弟也都因他之故得做高官,安享富贵;郭子仪门生部将遍及海内,每年收的礼物就难以计数了。当时朝廷因连年征战,国库空虚,皇上也常常愁没有钱用,但郭子仪家中却是珍宝堆积如山,府中奴仆就有一千多人,个个衣绸着缎,光彩赫赫,私家之富不单比拟王侯,而且超过天子。

郭子仪的幕僚中有人见此景象,为郭子仪担心,便劝他说:"现在正当艰难之时,国家财用匮乏,军费常常筹措不出,士兵们常常因缺饷而哗变。皇上自奉也很俭薄,您却厚自奉养,敛财积货,恐怕有污您的美名,不如把多余的钱财上交国库,或者充作军费,您的功德就更高了。"

郭子仪却笑着摇摇头说:"这你就不懂了,安禄山、史思明祸乱天下,朝臣中有识之士就归咎于朝廷没有及时给二人封爵。试想假若安禄山有王公爵位,他就会爱惜它,想把这富贵传给子孙,还会轻易铤而走险吗?我以一点微薄的功劳被封王爵,本来是不相当的,我却居之不疑,不是没有自知之明,而是向朝廷表明我是既贪恋富贵而又安于富贵的人。朝廷所担心的不是大将钱多,而是功名太盛,跋扈不服朝命,甚至造反。我现在功名已至极处,无可复加,如果像你所教我的那样做,皇上反而要疑心我有所图谋了。

幕僚听了郭子仪的解释后,才恍然大悟,惭愧无语。

郭子仪

唐朝名将,武举出身,戎马一生,屡建奇功,84岁方告别沙场。他"权倾天下而朝不忌,功盖一代而主不疑",享有极高的威望和声誉。

镜 鉴

功高勿再求美名,求之则遭忌。

释评

郭子仪功高盖世，历史上或许只有再造大清的曾国藩堪与之相比，然而与郭子仪同时有功名的将帅很多，如仆固怀恩、李光弼等，但都因皇上猜疑，宦官嫉贤妒功，功高不仅不赏，反遭杀身之祸。诸将为求自保，或起兵造反，如仆固怀恩；或拥兵自重，不听朝廷号令，如李光弼。他们都不能以功名相始终，唯有郭子仪一人同样屡遭陷害，却从未对皇上有过二心，终于成为唐朝中兴的社稷之臣，仆固怀恩和李光弼与之相比，真当愧死。

郭子仪一生手握重兵，然而一旦朝廷下令解除兵权，闻命即起身还朝，绝不留恋推搪，以此来消除朝廷对自己的猜疑。有一次，郭子仪被将士们强行挽留在营内，不能回京，他便诡称要出外打猎，连行装也不带，从小道逃回京师复命，硬是以这种恭谨从命的精神打消了朝廷的疑忌。

鱼朝恩恃权仗势，嫉妒郭子仪的功名，有一次竟掘了郭子仪的祖坟。事后鱼朝恩自己也知道祸闯大了，担心郭子仪会起兵造反，杀回京城找自己报仇，因此恐惧不已。郭子仪却单身回朝，在皇上面前痛哭流涕，归咎自己在外带兵无方，将士们多掘他人的坟茔，以致遭此报应，根本不提及追查元凶之事。皇上和鱼朝恩始则忧惧，继之羞愧，也都感服于郭子仪的德量。

郭子仪正是以自己人格的魅力塑造了威名，朝廷倚之为长城，士兵依之为父母，叛将强臣听说郭子仪之名，也无不肃然起敬，躬身下拜。仆固怀恩勾结回纥内侵，郭子仪手中无兵，竟单身直闯敌营。回纥原是听说郭子仪已

唐代紫铜观音像

死，才敢侵略中原，一见到郭子仪，悚然大惊，便和郭子仪签订盟约，撤出中原。一人可挡百万雄师，即便曾国藩也要自叹不如，千古一人而已。

所以，郭子仪有可与日月相比的忠心，才能久握重兵而朝廷不疑，位极人臣而无人嫉妒，穷奢极欲而人不非议。

原文

上焉者守之以道，虽处亢龙之势而无悔。

译文

最上一等的以自己完善的道德守住自己的地位，虽然处在危险的边缘却能安然无羔。

【事典】犯而不校的娄师德

武则天执政时期，夏官（原兵部）侍郎娄师德和凤阁（原中书省）侍郎李昭德约好一同上朝。娄师德身躯肥胖，走路很慢，李昭德先到了殿门，左等右等娄师德不到，心里焦急万分，唯恐迟到会遭重罚。好不容易才等到娄师德气喘吁吁地赶到，李昭德性子急躁，脱口骂了一句"乡巴佬"。

两旁一同上朝的人都吓了一跳，因为娄师德官拜夏官侍郎同平章事，也就是宰相，职位要比李昭德高，李昭德竟敢在大庭广众之下辱骂上司，这些人都为他捏了把汗。

娄师德喘息了一会，才仰面笑道："大家都是贵人，我不做乡巴佬谁做乡巴佬？"大家哄然一笑，都佩服娄师德的雅量。

娄师德的弟弟被任命为代州刺史，临行前娄师德把他叫到面前，问道："我现在备位宰相，你又是一州的长官，我们家权势荣宠过盛，别人一定会嫉恨我们，千方百计挑我们的毛病，你认为怎样做才能免除祸患呢？"

他弟弟深知哥哥的脾性为人，咬咬牙发狠说道："从今以后，即便有人唾到我脸上，我自己擦就是了，绝不让大哥为我担心。"弟弟以为如此说必会让哥哥满意，却不料娄师德面现痛苦不堪神色，捶胸顿足说道："这正是你让我担心的地方。错了！错了！"

弟弟不知所以，只好向哥哥请教。

娄师德正色告诫他说："人家唾你，那一定是生你的气了，你却自己把唾沫擦干，人家不就更生气了吗？唾沫在脸上自己就会干掉，你何必去擦拭呢？所以有人唾你的时候，你一定要笑着承受，而且让唾沫自己干掉。"

弟弟恍然大悟，铭刻于心。

释评

"唾面自干"向来是无耻的代名词，但也要看用于何时何人，不可一概而论。

武则天因出身低微，又曾是唐太宗的女人，所以在唐高宗要立她为皇后时，便受到朝廷重臣和贵族的坚决反对。原因有二：一是出身卑微，不是名门望族，不堪母仪天下；二是她侍奉过先皇。武则天自此便恨透了那些自认出身高贵的望族，所以她执掌政权后，便重用来俊臣、周兴、索元礼这些酷吏大力铲除唐朝宗室、名门贵族和朝廷大臣，手段之恶毒，刑法

娄师德

唐朝大臣、名将。进士及第，一生出将入相，被武则天称为"有文武材"。在边疆驻扎三十余年，以谨慎忍让闻名。

镜鉴

不做意气之争，事事莫留人怨。

之滥酷少有人比。这也并非武则天生性嗜杀，自有其更深一层的原因。

当时真是官员们的人间地狱，每人上朝前，都要先和家人诀别，哭着说："不知晚上还能不能见到面了。"许多官员都是在上朝或退朝的路上被来俊臣这班酷吏逮捕入狱，罗织罪名，锻炼成狱，然后便是诛死，甚至灭族。以至于武则天每次任命官员，在宫内召见时，武则天的侍女们便指着任命的官员，相互取笑说："又有要做鬼的来了。"用"朝不保夕""度日如年"都难以形容当时的恐怖形势。

在如此恶劣的情势下，娄师德却能出将入相数十年，以功名相始终。他也是朝臣中唯一一位没被酷吏们罗织罪名的人，要做到这一点真是谈何容易！这不得不归功于他的器识厚重以及犯而不校的道德。

犯而不校，就是说别人冒犯了你，不单不去计较，更不会反击报复。身为宰相，被下级当众骂为"乡巴佬"，这对一般人而言是绝不能忍受的，娄师德不但忍受了，反而加以解释，这正是他所说的"唾面自干"术。假若不加以解释，而是保持沉默，李昭德一时情急，出口冒犯了上司，难免不心怀恐惧，为怕娄师德过后报复，也未尝不可能采取别的方法打击娄师德，所谓"人无害虎意，虎有伤人心"。待听到娄师德解释后，一场有可能发生的冲突便消弭于无形了。这已不单单是气量，更是一种大智大慧，处处如此，时时如此，还会有什么人会对他心存歹意吗？所以来俊臣和周兴等人残害宗室、贵戚、朝臣如同水洗，却放过了娄师德，这也是很说明问题的。

娄师德不但犯而不校，政绩非凡，而且很有知人之明。他在相位时，经常向武则天推荐狄仁杰，武则天因此任狄仁杰为相。狄仁杰却不知此事，又素来瞧不起娄师德，便把他排挤出朝廷，到陇右做诸军大使。

武则天有一次和狄仁杰闲谈，问道："娄师德贤良吗？"狄仁杰答道："他在边陲做大将还可以，是否贤良，臣就不知了。"话中之意很不以为然，武则天微笑道："娄师德很有知人之明。"狄仁杰摇头道："臣和他是同僚,没听说他有这方面的才能。"武则天笑道:"朕能了解你的才学品德,并用你为相,就是娄师德推荐的。"

狄仁杰听完后,惭愧得无地自容,出宫后对大臣们说:"娄公盛德,我为娄公包容很久了,自己却不知道,娄公的德量,我无所窥测矣。"

李昭德也是很有胆色的人,当来俊臣、周兴罗织诬陷之风最为炽盛时,李昭德却敢挺身抗衡。武则天以女主称帝,最喜欢别人进献符瑞吉祥,好显示自己是天命所归,进献者多得官位财物,于是进献符瑞之风大起。

大臣们虽多数不以为然,却不敢指斥其非,李昭德却敢触龙鳞。一次有人到朝中进献一块石头,说石头里面是红色的,代表忠心,连石头都向皇上表示忠心,说明皇上盛德,化及木石,这是难得的符瑞。

李昭德却直斥其伪,厉声驳斥道:"这块石头心是红色的,代表忠心,那么其他石头心都是黑色的,难道要造反吗?"

两旁的大臣听了,都敢笑而不敢言。

原文

中焉者守之以礼,战战兢兢,如履薄冰,仅保无过而已。

译文

中间一等的以礼义自律,整日战战兢兢,如同踩在薄薄的冰上一样,这样也仅保持没有过错而已。

【事典】不肯封侯的明德马后

东汉孝明帝的皇后马后是伏波将军马援的小女儿,十四岁入太子宫为太子妃，明帝即位后册封为皇后。儿子章帝即位后，因为年纪小，马皇后临朝称制，处理国家大事，史称明德马后。

章帝和自己的几个舅舅感情很好，便想依照惯例，封自己的几个舅舅为侯，太后却坚决不同意。

章帝向母亲请求说："从西汉以来，国舅封侯和皇子封王已经是国家的制度，您自持逊让却要让儿子背上亏负舅家的名声。"并且举出建国初期阴、郭两家的国舅都得以封侯的例子。

马太后耐心解释说："我并不是想得谦让的美名而让皇上落个刻薄的名声，而是鉴于西汉那些后族几乎没有不因荣宠过盛而导致灭亡的。阴、郭两家乃是先皇的后族，我也不敢比。先帝在封皇子为王时，国土和赋税收入较建武时期减少了一半，我曾问过先帝为何这样做，先帝说：'我的儿子怎敢和先皇的儿子一样。'此言我一直铭记，然则我的后家又怎敢和阴、郭这些开国的后族相比？"

东汉陶俑

章帝听后，体谅母亲的苦心，便不提给舅舅封侯的事了。

这一年大旱，有一名投机官员想趁势讨好皇上和后族，便上奏说天灾乃是因为不封国舅为侯之故。

马太后看后大怒，下诏严辞斥责："你不过讨好我而已，怎敢妄言天灾与不封侯有关。汉成帝时，一日之间封王家五人为侯，当时大风拔树，黄雾四塞。这才是天灾示警，乃是后族过盛，乾纲不振之故，终于导致王莽篡汉之祸，从没听说后族谦逊守礼而导致天灾的。"大臣们见太后执意坚决，便没人再敢做这种投机之事了。

章帝总觉得舅舅不封侯，自己心有愧疚。他见大臣们碰了钉子不敢说话，便亲自向母后苦苦哀求："舅舅们年纪都大了，身体又多病，万一有所不讳,生前得不到封典,儿臣可要抱憾终生了。"

马太后虽然心里不愿意,但实在拗不过儿子,只好同意章帝封舅舅们为侯,常为此郁郁不乐。

临下诏册封的前一天,马太后把自己的兄弟们召进宫,告诫他们切忌权势过大自蹈覆亡之祸。

马太后的兄弟们体会到太后的良苦用心,第二天接受封爵后,便坚决辞去在朝中的职务,以列侯归第。

东汉选择皇后大多是开国功臣之家,主要是邓、马、窦、梁四家,而邓、梁、窦之族因权势过盛而遭灭门之祸,只有马氏一族谨守礼节,不敢稍有逾越,也因此得以保全。

释评

世人都说"女生外向",其实最终还是"内向"的,尤其是皇后或皇太后,趁自己得宠或临朝称制时,恨不得把全天下的富贵都搬到自己的娘家,真如烈火烹油,一时间煊赫无比。待到自己失宠或者失去权力后,自己的娘家反而因为权势过盛、恃势胡为而遭灭门之祸。纵观两汉后族,几乎没有例外,正应了那句话:"前车倒了千千辆,后车到了亦如然。"

这些人并非愚蠢,也不是不懂前车之鉴,但面对摆在眼前、唾手可得的权势富贵,又有几人能够拒绝?其实也不必厚责这些人,权、钱、色三关从古至今就没有几人能过得了,"人为财死,鸟为食亡",自古皆然。

明德马皇后却能深明古今成败大义,在她辅政期间,始终压制自己娘家的势力,既不是不爱富贵,更不是不愿意娘家与自己同享富贵,而是深知富贵乃祸患之门,稍有闪失便会有不忍言之大祸。明理达义,巾帼何让须眉,真是少见的女中圣贤。

东汉的思想家王符曾经有个很精彩的比喻,他说:"君主娇宠自己喜爱的贵臣和一般人喂养婴儿犯同样的过错,人们喂养婴儿总是担心他吃不饱,尽量多给奶水吃;君主娇宠贵臣也总是嫌给予的权力不够大,财物不够多,所以无限制地赏赐财物,增大其权柄。而婴儿因吃得过饱经常生病甚至夭折,贵臣也因权势过盛、财物过多而积成罪恶,经常会招来祸患甚至灭亡。"

比喻虽小,用来解释东汉后族多覆亡的缘故,倒也浅显易明,可谓一语中的。

原文

下焉者率性而行,不诛即废,鲜有能保其身者。

译文

最下一等的由着自己的性子,恃权仗势,胡作非为,不被杀死也要废弃终生,很少有能保全身家性命的。

【事典】功大而身灭的窦宪

窦宪是东汉章帝窦皇后的哥哥,因窦皇后而得宠。窦宪年纪虽轻,却被提任为黄门侍郎,这是天天在皇帝身边、显赫而又亲近的官职。

章帝很喜欢窦宪,不久又提升他为侍中、虎贲中郎将,并任命他弟弟窦笃为黄门侍郎。兄弟二人倚仗皇帝的宠爱和皇后的声威,无所不为,不要说朝廷大臣,就是皇子公主、阴马后族对他也畏忌三分。

窦宪利令智昏,居然把主意动到章帝的女儿沁水公主的头上。他看中公主的一块园林,派人去要以很便宜的价格买下来。沁水公主虽贵为帝女,却很害怕窦宪,不但不敢不卖,还不敢论价,便以窦宪所说的价格卖给了他。

章帝一次经过这片园林，便问左右是谁家的，窦宪怕事情败露，使眼色吓唬左右人不许直说。章帝后来还是知道了这件事，怒不可遏，痛责窦宪说："这事我越想越害怕，前些日子我问起公主的园林，你居然敢用指鹿为马的手法欺骗我，你是想当赵高吗？我女儿的地你都敢抢夺，其他人你还会放在眼里吗？我杀掉你，不过杀死一只出壳的小鸡，一只腐烂的老鼠，何难之有。"

窦宪见章帝动了杀机，吓得浑身筛糠，说不出话来。窦皇后听说后，急忙跑来，在章帝前叩头为哥哥谢罪。章帝正宠爱皇后，不忍伤她的心，便饶过了窦宪，但也不再重用他了。窦宪失去了权势，倒是因祸得福，章帝在世时，他小心谨慎，没再惹出别的乱子来。

章帝去世后，和帝即位，窦皇后以皇太后的身份临朝称制，处理国家政务。窦太后因是女主，不能到外廷与大臣们商议国政，便任命窦宪为侍中，所有事都和他商量。窦宪在内与太后共定国策，在外宣布诰命，又成了朝廷中第一人。

窦宪又任命弟弟窦笃为虎贲中郎将，窦景、窦瑰为中常侍。窦宪兄弟分别占据朝廷显要位置，内倚太后为靠山，无论什么事，自己让亲信的大臣上奏，然后到宫中与太后商议，事无不成。窦宪得志后，又犯了无所顾忌的老毛病。齐王的儿子都乡侯刘畅，因到京师奔赴章帝的丧事，打通门路见到了窦太后，并和太后私通。窦宪害怕刘畅得宠

窦　宪

　　东汉外戚、权臣、著名将领，章德皇后兄。因大破北匈奴，被封大将军，威权震朝廷，党羽布于全国。被告阴图谋反，和帝捕其党羽，并迫令其到封邑后自杀。

镜　鉴

　　任性而为者，权势可得而不可保。

后,会分夺自己的权柄,便派刺客杀死刘畅,然后扬言说凶手是刘畅的弟弟利侯刘纲,并派大臣拷问刘纲,准备屈打成招,找个代罪羔羊。

不料有大臣向太后揭发了此事,太后心痛情夫之死,一定要查个明白。太后自己派人调查,结果真相大白。太后一怒之下把窦宪关押在宫内,准备重重地责罚他。

窦宪自知触到太后的伤心处,害怕被杀死,便上书请求率兵讨伐匈奴来赎罪。窦太后思前想后,终究不忍自残手足,便同意了窦宪的请求,任命他为车骑将军,带兵攻打匈奴。

窦宪仓猝之间并无完善的准备,便纠合京师和十二个郡的几万兵马以及边境一带少数民族的军队,会合南匈奴,攻击北匈奴。不料窦宪竟一举扫灭了北匈奴,出塞三千多里,追亡逐北至燕然山,立碑刻铭,宣扬大汉功德,耀武扬威,班师而回。匈奴就此一蹶不振,从秦始皇以来,一直是中原地区最大祸患的匈奴,居然就在窦宪手里画上了句号。

窦宪建此不世奇勋后,权势一下子膨胀至极点。班师回京后,他被封为大将军,位居群臣之上,并被封为冠军侯,同门兄弟一日之间四人封侯。窦宪在外手握重兵,兄弟亲戚党羽则在京师掌握禁军,盘踞朝廷内外,表里呼应,朝廷大权尽落窦宪手中。

窦氏四侯在京大修府邸,国库为之空虚,其他如掠人财物、抢劫妇女的罪行更是多不胜数,大臣稍有反对,立见诛灭,人人嗫不敢言。

窦太后年少寡居,不安于室,多招外宠入宫。和帝既不满窦宪之跋扈,对太后的淫乱也记恨于心。窦太后知道后心有不安,便和窦宪秘密商量想要废帝另立。

和帝不甘坐以待毙,便趁窦宪班师回京,大军驻扎城外之机,与宦官郑众密谋除去窦宪。和帝深夜赶到北宫,招集南北宫禁军,在夜里关闭城门,囚禁太后,然后发兵包围窦宪府邸,在城内搜捕窦宪党羽,一夜之间将窦氏家族一网打尽。

窦宪兄弟四人被捕自杀,家属都被赶回老家,党羽们除畏罪自杀外也均被处以死刑。这时,当了几年傀儡皇帝的和帝才开始亲政。

释评

光武帝刘秀鉴于西汉亡于外戚王莽之手,对后族一直采取压制的政策,深恐自己建立的王朝重蹈覆辙,所以开始几代后族势力对中央政权尚无威胁。到了窦太后临朝,窦宪掌握国柄,东汉又滑入西汉外戚专权的覆辙中了。然而东汉外戚专权之祸虽烈,却没亡于外戚,而是亡于宦官的乱政上,这又是始料不及的,真是人算不如天算。

汉武帝立太子后,托付霍光辅政,却把太子的母亲钩弋夫人赐死,看上去虽然残酷,实际上却是英明之举。

历史上有许多相似却又相反、相反却又相似之处,北宋王朝女主垂帘听政的也不少,而北宋政治清明、国力富强却正在几位女主垂帘时期,甚至有"女中尧舜"之美誉,而哲宗、徽宗几位皇帝一亲政,国事反而大坏以至灭亡。大明王朝从始至终无女主称制之举,大明王朝的政治却是最黑暗的。看来一个王朝的终结,并不能单单归咎于女主临朝还是宦官乱政上,而是封建制度本身无法避免的缺陷造成的。

窦宪固然是十足的小人、罪人,然而单就他平灭匈奴一事而论,也可说是大汉的功臣。汉武帝凭借三代累积的财富,又有卫青、霍去病、李广、路博德这些名将,与匈奴大战三十余年,耗尽了国家人力、物力和匈奴也不过打个平手,并未占太大的上风。

窦宪率领各郡的士兵,和他本人一样,大多是因有罪而发配到边境赎罪的罪犯,另外便是羌胡和南匈奴的人马,人心不一,士兵也不是卫青、霍去病所率领的百战精兵,更没有李广这样的名将。窦宪就是率领这一群乌合之众,居然一举扫平几百年来不能战胜的强寇,真是令人百思不解的怪事。也许是北匈奴气数已尽,窦宪适逢其会,天假竖子之手以成此大功。

卫青、霍去病、李广均因攻打匈奴名垂青史,窦宪的功勋比这几人加起来还要大得多,却无人称颂,只因为前几人是君子,而窦宪却是小人。

原文

人皆知富贵为荣,却不知富贵如霜刃。

译文

人们都知道身处富贵很荣耀,却不知道富贵有时如同霜矛利刃。

【事典】视富贵如畏途的王晞

王晞是前秦名臣王猛的后代,北齐显祖高洋在位时,王晞因为是名家子孙,被高洋选中,让他和自己的弟弟常山王高演为友,辅导弟弟。

高洋嗜酒昏虐,滥杀大臣,每日都沉醉酒乡,醉后所做的事禽兽不如。大臣畏罪不敢言,只有常山王高演倚仗兄弟之亲,又有太后的保护,屡次流涕苦谏。

高洋也自知其非,却溺于酒乡不能自拔。盛怒之下,高演也屡遭毒打。高洋不忍心杀死弟弟,便迁怒王晞,认为高演所为都是王晞所教,便要杀王晞。高演为保王晞,不得已自己先打了王晞三百棍。高洋听说王晞已遭毒打,才没有杀他。

王晞是高演的心腹谋士,高演无事不和他商议,对他的话也是言听计从。王晞跟着高演也多受牵累,遭刑受辱多年,侥幸未死而已。

高洋死后,高演听从王晞的劝告,废幼主,自立为帝,是为北齐肃宗,王晞也便成了佐命元勋。

高演称帝后,王晞便有意和他疏远,没有要事从不进宫。高演要任命他为侍中,和以前一样,时刻陪在自己身边,王晞却苦苦推辞,坚决不肯接受。别人都劝他不要拂逆皇上的心意,更不要和皇上疏远。王晞却说:"我从小看到的高官要人多了,都是身居显要不久,便遭受祸殃,没有几人能保住身家性命的。皇上和我私人感情虽然很深,但不能长久,一旦身处富贵，想退下来都很难，祸发身灭，后悔何及。我并不是不想当高官、处显要，只是此种事看得太多，已经思之烂熟，怎可明知是祸还要去招惹？"

王晞后来求得外放为州官，远离朝廷官场倾轧核心，虽身处乱世，竟能保全身家，在隋文帝开皇元年（581 年）死于洛阳，享年七十一岁。

释评

王晞作为高演的朋友、谋士，是尽心尽职的，高演屡次触怒高洋，遭受责罚，王晞受此牵累也遭受困辱，祸在不测，然而王晞却不离高演左右，尽心辅佐，出谋献策，甘心与之共患难。

待得高演称帝，高官厚禄摆在面前，王晞却拒而不受。高演并非勾践那样的只能同患难不能共富贵的君主，王晞也不是学范蠡要弃官远逃，不过是不想卷入荣利场上尔虞我诈、弱肉强食的旋涡中而已，于隐晦保身之术可谓深得三昧。

中国历史上有两个最动荡、最黑暗的时代，一个是晋朝后期八王之乱引起的南北朝时期，另一个便是五代十国时期。虽说封建社会中国的老百姓从未过上过好日子，但其他时期与这两个时代相比，简直有天堂地狱之别。和平时期的百姓至少还有贫苦生活可过，虽然穷苦，还可终天命。"乱世之民不如狗"，这两个时代百姓的处境确如其比。

百姓如此，士大夫也好不到哪去。王晞所处的南北朝时期，昏主暴君层出不穷，朝代也如走马灯般变幻不定，政治残暴，四方战乱不休，真是一幅活生生的人间地狱图。士大夫在朝为官，不是因劝谏昏君被杀，便是因朝代变迁而受戮，明智的便携家远逃，改姓更名隐居不出，甚至出家为僧。试观中国禅宗历史，人才最兴旺的便是南北朝和五代时期，只因这两个时期社会中的精英都出家当了和尚，深研佛学，倒是"世道不幸禅学兴"。

王晞的哥哥王昕也是少年时便颇受齐显祖高洋赏识，被提拔到侍中这个显要位置。王昕的才学和弟弟一样的广博，却不懂隐晦藏身之术,他多次劝谏高洋的昏暴举止,高洋衔恨在心,蓄而未发。一天高洋在宫中与群臣饮酒,派人召王昕入宫,王昕知道是去喝酒后,便称病不去。

高洋听说王昕称病,心中不信,派人到府中查看,结果发现王昕正在家中逍遥自在,把酒自乐。高洋大怒,立刻命人把王昕捕入宫中,也不审问罪名,就把王昕斩于殿堂之下。

王晞耳闻目睹,再加上自身所经历的种种事端,令他对富贵权要有着清醒的认识,如他自己所说:"不是不想当大官,思之烂熟耳。"

历史上的经验教训很多,每个人身边的事也不乏启迪,假若每个人都能像王晞一样善于观察事物,总结规律,然后"思之烂熟",不仅可以无祸,而且可以处处化凶为吉。

原文

人皆知贫贱为辱,却不知贫贱乃养身之德。

译文

人们都知道贫穷困贱是耻辱,却不知道贫穷困贱是养身立志的土壤。

〖事典〗彭泽之父千里训子

彭泽少时家贫,励志苦学,明孝宗弘治三年(1490年)考中进士,历官至刑部郎中,后因得罪有势的宦官,被外放为徽州知府。

彭泽的女儿临出嫁时,彭泽便用自己的俸银做了几十个漆盒当做陪嫁，派属吏送回家中。彭泽的父亲见后大怒，立刻把漆盒都烧了，自己背着行李走了几千里来到徽州。

彭泽听说父亲突然来到，不知家中出了什么大事，忙出衙相迎，却见父亲怒容满面，一句话也不说。

彭泽见状，也不敢造次发问，见父亲满面风尘，又背负行李，便使眼色让手下府吏去接过行李。

彭泽的父亲更是有气，把行李解下，掷到彭泽的脚下，怒声道："我背着它走了几千里地，你就不能背着走几步吗？"

彭泽被骂得哑口无言，抬不起头来，只得背着行李把父亲请进府衙。

彭泽父亲进屋后，既不喝茶，也不落座，反而命令彭泽跪在堂下。府中官吏们纷纷上前为知府大人求情，全不济事，彭泽只得跪在父亲面前，却还不知为了何事。

彭泽的父亲责骂彭泽：

"你本是清贫人家子孙，如今做了几天官，就把祖宗家风全忘了。皇上任命你当知府，你不想着怎样使百姓安居乐业，反而学着贪官的样儿，把官家财物往自己家搬，长此下去岂不成了祸害百姓的贪官？"

彭泽此时方知父亲盛怒是为了何事，却不敢辩解，府中衙吏替他辩白说，东西乃是大人用自己俸银所买，并非官家钱物。

彭泽的父亲却说：

"开始时用自己的俸银，俸银不足便会动用官银，现在不过是几十个漆盒，以后就会是几十车金银。向来贪官和盗贼一样，都是从小开始，况且府中官吏也是朝廷中人，并不是你家奴仆，你却派人家几千里地为自己女儿送嫁妆，这也符合道理吗？"

彭泽叩头服罪，满府官吏也苦苦求情，彭泽父亲却依然怒气不解，又用来时手拄的拐杖痛打彭泽一顿，然后拾起地上还未解开的行李，径自出府，又步行几千里回老家去了。

彭泽受此痛责，不但廉洁自守，不收贿赂，而且不再挂心家里的事，一心扑在府中政务上，当年朝廷审核官员业绩，以徽州府的政绩最高。

彭泽历事明孝宗、武宗、世宗三朝，被称为正德、嘉靖年间的名将，与兵部尚书王琼成一时瑜亮，而王琼依附宦官，虽然飞黄腾达，事事顺遂，所建功业也不小，但大节有亏，声望也大为受损。彭泽于其时声望最高，武宗正德年间，宦官佞幸气焰最为嚣张。彭泽却不畏强暴，屡撄其锋。他看不起王琼依附群小的谄媚，经常借酒使气，嘲笑王琼，又在王琼面前痛骂锦衣卫指挥钱宁。

王琼经常向钱宁说，彭泽总当自己的面骂他，钱宁不信，王琼便把彭泽请到家中喝酒，让钱宁的亲信躲到屏风后面偷听。酒到半酣，两人谈论朝中形势，彭泽果然大骂起钱宁来。钱宁知道后，恨之入骨，后来借事将彭泽削职为民。彭泽、王琼二人的气节道义于此可见。

然而彭泽能在邪恶势力之下保存气节，应该说和他所受的家庭教育有很大关系。

彭泽用自己的俸禄为女儿置办一点嫁妆，这本来是件极平常的小事，彭泽的父亲却为之担忧，害怕儿子走入歧途，竟不惜步行几千里路找到儿子，把他重重地教训一顿。看起来似乎有些小题大做，然而小事不防，就有可能演变成大事；蚁穴不补，就有可能堤毁人亡。古人处处讲究"防微杜渐"，预防祸患也是从最小最细微的地方着手，这一点依然值得我们今人借鉴。

彭泽受此庭训，可称得上是当头棒喝。他以后为官一生，历任川陕总督、左都御史、提督三边军务、兵部尚书等要职，都掌握着巨额军费，不要说有心贪污，即便按照常例，也会积累一笔十代八代吃穿不尽的财富。但是，彭泽却为将勇，为官廉，死后破屋几间，妻子儿女的生活都成问题。之所以能清廉如此，自当归功于他父亲的教育。

当然，也有人觉得做了一辈子高官，死后清贫如此太不值得，这只能说是仁者见仁、"贪者见贪"了。

原文

倘知贫贱之德，诵之不辍，始可履富贵之地矣。

译文

如果知道贫贱的好处，并且牢记不忘，这样的人才可以身处富贵的地方。

【事典】大儒之母安贫乐贱

北宋仁宗庆历年初，范仲淹因和宰相吕夷简不和，被罢免参知政事，贬官饶州刺史。谏官高若讷畏威保禄，不敢上书力争，反而和别人说范仲淹有罪，应当罢免，来为自己解脱。时任馆阁校勘的欧阳修因不是谏官，无法为范仲淹说话，本希望高若讷能仗义执言，没想到高若讷反而诋毁范仲淹，为自己的缄默不言找借口。于是欧阳修回家后修书一封，痛责高若讷，骂他"不复知人间有羞耻事"。

高若讷被骂得羞怒交迸，把欧阳修的书信呈交皇上，并且攻击欧阳修为范仲淹的朋党。吕夷简见到信后，也是怒不可遏，第二天便贬欧阳修为夷陵长。

欧阳修遭贬后倒是心中坦然，只是贬所荒远，生活又苦，觉得有些对不起母亲，便跪在母亲面前流涕请罪，说："儿子在朝为官，受贬吃苦，自是理所当然，只是要连累母亲大人跟着受苦，儿子实在是心中不忍。"

太夫人丝毫不以为意，笑着说："你以为你祖上是什么富贵人家吗？我自从嫁到你家，过的就是苦日子，我早已经习惯了。你四岁时你父就没有了，我和你孤儿寡母，什么苦日子没挨过，那时候不也很快乐吗？你做官后家里日子倒是宽裕了些，可我心里也没觉得比以前快乐。现在你虽被贬官，毕竟还有俸禄，再苦也不会有那个时候苦，你有什么可替我担心的呢？"

欧阳修听完母亲的话,心中阴霾扫除,坦然上路,几千里路的舟车颠簸,太夫人不但不让儿子为自己操心,反而指挥僮仆,料理上下,照顾儿子生活起居,比在京时更有精神。

释评

欧阳修不仅是一代文学宗师,更是正直强谏的名臣,论其风范也不比魏徵差,只不过是他在文学上名声太高,为后世所推崇,其强直敢谏的名臣风范反而为后人所忽视。

做直臣、谏臣比做廉臣要难,廉臣不过是清廉自守、不收贿赂即可,而直臣、谏臣却要常常触怒皇上,得罪权贵,随时都可能身遭不测,所以如果没有"一不怕苦,二不怕死"的精神,还真当不了直臣、谏臣。

然而仅仅自己不怕苦、不怕死还远远不够,假如家中父母、妻儿怕苦爱富,这个人做事之前必然要为家里人着想,以便保住职位俸禄,让家里人生活得更好一些。这也是人之常情,无可深责,但是有了这一点私心,想要做直臣、谏臣也就不可能了。高若讷就是这种情况,他也不是很坏的人,不过是懦弱而已,欧阳修痛恨的不是他的不谏,而是他诬蔑范仲淹来文饰自己的罪过,这就不仅是懦弱,而且是小人之举了,所以痛骂他"不复知人间有羞耻事"。

欧阳修一生遇事奋发,敢作敢为,便是因为心中已立下了不怕丢官、不怕吃苦的信念,一个人能够安于贫贱,自然不会为了富贵而去做违背良心的事。而欧阳修能安于贫贱,首先在于母亲能视贫富如一,甚至甘之如饴,才使得他没有后顾之忧。

宋朝可谓是士大夫的天堂,赵匡胤立国之初,便定下规矩:不许杀士大夫,官员有罪也不过是贬官而已,连削职为民的都极少。欧阳修曾对同僚感慨道:"以前那些朝代,忠直臣子早晨上谏章,晚上就可能被杀掉,依然前仆后继,劝谏君王。我辈遭逢圣明,罪再大也不过是贬官,根本没有性命之忧,还有什么可顾虑的呢?"而宋朝官员大多都敢直言进谏,和这种宽容的风气有很大的关系。

　　欧阳修虽然是一代宗师，待人接物却心无城府，坦白无隐。别人有一点长处，他便赞不绝口；别人有短处，他当面指责，不留情面，因此既为士人所依附，也为权贵小人所侧目，一生坎坷，也是因为这个缘故。

　　欧阳修喜欢提拔后进，唐宋八大家中，宋朝的苏氏父子三人、王安石、曾巩都出自他的门下，连他本人在内竟为六大家，得士之盛，无人可比。

　　宋仁宗曾夸赞欧阳修说："欧阳修这样的人，从什么地方得到呢？"这样的人杰，几百年才会出现一个啊！

夫阳无阴不生,刚无柔不利,明无晦则亡,是故二者不可偏废。合则收相生相济之美,离则均为无源之水,虽盛不长。

晦者如崖,易处而难守,惟以无事为美,无过为功,斯可以免祸全身矣。势在两难,则以诚心处之,坦然荡然若无事然,勿存机心,勿施巧诈,方得事势之正。

物非苟得则有患得患失之心,而患得当先患失,患失之谋密,始可得而无患,得而不失。音大者无声,谋大者无形,以无形之谋谛有形之功,举天下之重犹为轻。

事之晦者或幽远难见,惟有识者鉴而明之,从容谛谋,收奇效于久远。祸福无常,惟人自招。祸由己作,当由己承,嫁祸于人,君子不为也。福无妄至,无妄之福常随无妄之祸,得福反受祸,拒祸当辞福,福祸之得失尤宜用心焉。

〈处晦卷〉第二

解除对手敌意的最好办法是主动表示友谊，而且一定要让对手笃信不疑。

偶尔做回小人也是保身之道。

镇静持重是处晦的必要手段，不能有丝毫的急躁心理。

如不想总是处于弱势，示弱则是必须的，处晦方能向阳。

原文

夫阳无阴不生,刚无柔不利,明无晦则亡,是故二者不可偏废。

译文

没有阴,阳就不会产生;没有柔,刚就不会锋利;没有阴暗,光明也就消亡了。所以这对立的二者不可偏执一端。

【事典】骂不还口的王守仁

明武宗正德年间,分封南昌的宁王朱宸濠起兵造反,江西省的官员逃的逃,降的降,宁王声势壮大,颇有席卷半壁江山之势。当时正巡抚江西的王守仁显示出自己超卓的军事天才,调兵调粮,机变百出,仅用了三十四天时间便擒宁王于鄱阳湖,平定了叛乱。

王守仁军事天才太高,动作也太快,不仅造反的宁王没想到,朝廷也根本没想到,已经御驾亲征的明武宗倒觉得不过瘾,下诏让王守仁把宁王放了,自己要和宁王在鄱阳湖里对决单挑,非亲手擒获宁王不可。

王守仁对这样昏庸得出格的命令当然置之不理,他带着宁王迎向明武宗的军队,准备阻止皇上亲征。乱既已平,大军所过之处除了扰民害民还能做些什么?

王守仁中途给武宗上书,要求皇上班师回京,并且指出:"想要造反的不止宁王一人,请皇上罢免身边的奸佞小人以挽回天下豪杰的心。"这句话可捅了马蜂窝,明武宗身边围绕的全是这种奸佞小人,又大多受过宁王的贿赂,与之暗通声息,看到王守仁的奏章,个个恨王守仁入骨,便合谋制造谣言,说王守仁本来是和宁王合谋造反的,后来看宁王难以成大事才擒宁王以邀功。

武宗虽然不信,但身边的人个个都这样讲,也不能不有所怀疑。王守仁抗旨不遵，不肯放宁王和自己对决，武宗也大为不满，所以大军继续进发，倒像是要防备王守仁造反似的。

武宗所派的先锋太监张忠、安边伯、许泰以威武大将军（明武宗自封）的名义发檄文给王守仁，命令他到军前听命。王守仁置之不理，从小道赶赴杭州，遇到了武宗亲信的太监张永。张永的头衔是提督赞画机密军务，职权要比张忠、许泰高。

张永也嫉妒王守仁的军功，而且王守仁所说的奸佞小人，他也算是一个，所以听说王守仁到了军门后，他闭门不纳。

王守仁直闯军门，大声喊道："我是王守仁，大人为什么不肯相见？"

张永无奈，只好出见。王守仁见到张永后，却不提自己平定叛乱的经过，反而夸赞张永除去逆阉刘瑾，是为国为民立了无量功德。张永一生只做过这一件好事，常常自鸣得意，现在连王守仁这样的名人也佩服自己，还赞不绝口，立时觉得王守仁是大大的好人，便坦诚相见。他说："我只是来保护皇上，照顾皇上生活起居的，不是来和大人抢功的。大人此番建立盖世奇勋，我当然也知道，只是有些话不能明说，有些事不能照直做，否则非但事不成，命也不保。"

王守仁点头称是，又再三陈述江西遭此战事，百姓已不堪其乱，倘若再经大军骚扰，叛王虽擒，百姓也会被逼造反。张永答应力劝皇上早日回京。

王守仁

　　即王阳明，明代最著名的思想家、哲学家、书法家、军事家、教育家和文学家，精通儒家、佛家、道家学说，且能统军征战，乃中国历史上罕见的全能大儒。

镜 鉴

　　一招难定胜负，用谋当虚实相生，多线并行。

两人商谈一夜，然后一同步出军门，张永询问宁王所在，王守仁指着江里一只乌篷船，说："就在那里。"

张永笑着说："这个应当归我。"

王守仁笑道："我正是要把他交给大人，我留着他何用？"

王守仁经过张永劝说后，知道单凭一身正气是难以和群邪对抗的，便重新上了一封奏章，说是奉威武大将军的神威平定了叛乱，并且把张忠、许泰、江彬一干小人列入有功人员的前列。这些奸邪小人看后，对王守仁的痛恨减轻了些，武宗便任命王守仁为江西巡抚。

王守仁和张永一同回到南昌，此时张忠、许泰已率大军进入江西，扰民害民甚于宁王的叛军，气焰嚣张之至，见到张永后不得不收敛许多。

宁王未反时，蓄积金银珠宝为藩王之冠，张忠、许泰便诬陷王守仁攻取南昌时吞没了这批财宝，向他索要。

王守仁说："朱宸濠当时把金银宝物都送给京师权贵，约好做内应，我这里有他送礼的簿子，咱们可以按人名要回来。"

张忠、许泰受过宁王的重贿，听说礼簿在王守仁手中，吓得不敢再提此事。两人蓄意生事，便怂恿所率的京师士兵鼓噪，直呼王守仁的名字谩骂不止。

王守仁手下将士愤恨不已，王守仁却置若罔闻，在路上看到京师士兵，便问寒问暖，有生病的便送药，有死亡的便送棺材，还亲自吊问。京师士兵异口同声说："王都堂仁爱。"不管张忠、许泰怎样鼓动，也没有人再忍心骂王守仁了。

战乱甫平，南昌百姓和士兵死亡很多。王守仁便在冬至这一天，命令百姓和士兵在每条街巷祭奠亡者，整个南昌城都陷入一片哭声中。京师士

明代高扶手南官帽椅

兵出征日久,听到满城哭声,也无不流泪想家,便天天闹着要回京师。

张忠、许泰见功已捞不到,财也得不到,士兵的军心也不稳,张永又再三敦促二人班师,不得已便率军撤出江西,江西全省总算逃过了一劫。

张忠、许泰回师途中,见到从后面赶到的明武宗。二人一无所得,又斗不过王守仁,便和群小在武宗面前诋毁王守仁,说他一定会在江西造反。只有张永时时在武宗面前为王守仁说好话,力保他忠诚可靠。

张忠、许泰断言王守仁必反,并且说如果下诏让他前来,他一定不肯来,武宗不信,张忠、许泰便多次假称诏旨,命令王守仁前来。二人的信使头前走,张永便派手下给王守仁送密信,告诉他真实情况,王守仁知道是假的,便不肯赴召。待得武宗下诏,王守仁立刻骑马赶到,张忠、许泰却派人拦阻,不让他见皇上。王守仁见不到皇上,也不回南昌,跑到九华山中,每天打坐练功,如出家道士一样。

明代铜鎏金仿汉四方辅兽炉

张永告诉武宗,王守仁被拦阻到不了御前,武宗便派人秘密查看王守仁在做什么,然后怒斥张忠、许泰:"王守仁是学道的人,听到我的命令就赶来了,你们为什么说他要造反?"便派人命令王守仁返回江西,继续建功。

张忠、许泰这些小人伎俩使尽,总是处于下风,又见武宗对王守仁信任有加,又有张永全力保护,只得放弃对王守仁的陷害。

◇释评◇

如果没有王守仁,明朝的历史大概要重写了。明成祖朱棣便以藩王起兵,从建文帝手中夺得了天下。当时在位的建文帝仁德爱民,政治清明,却依然只支撑了四年。

明武宗的荒淫残暴在历史上也是赫赫有名的,至少还没有哪个皇帝会率领军队在自己的国土里如盗贼般肆行抢掠，这等事也只有明武宗才干得出来，所以宁王大旗一竖，江西全省闻风而向，附近各省也在震颤观望。王守仁动作只要稍慢一些，东南数省便是宁王的天下了，跨江北进，顺天应民，夺取武宗的天下也并不难，可惜宁王生不逢时，偏巧碰上了中国历史上最杰出的军事家王守仁，真是时乎命乎？只能鸣呼哀哉了。

中国历史上似乎也只有王守仁一人，集一代儒学大宗师、军事家、政治家、思想家于一身，明史称他"文人用兵制胜，未有若守仁者也"。其实岂止文人，武将中也不多见。清史赞誉曾国藩不遗余力，并说可和史上的两个人物相比，一个是唐朝的郭子仪，一个便是王守仁。若单论建立功名事业，这个结论倒还中肯；如果单论军事上的才能，则王守仁第一，郭子仪第二，曾国藩虽屈居第三也该感到荣耀，因为他和这两人根本不是一个量级的。

明代比甲

王守仁平定叛乱只用了三十四天，然而为了保护自己和江西省的百姓，与武宗和他身边的奸佞小人费尽心力周旋，倒用了很长时间。岂不是外患易除，君侧之恶难清？

当此之时，王守仁平除逆藩，自己反倒陷入谋反的重大嫌疑之中，而且根本无法辩明。江西省的百姓如果再遭武宗率领的大军烧杀淫掠一番，也非造反不可，在不反即死的情况下，人人都会成为陈胜和吴广。

王守仁是智谋百出的人，他躲避开张忠、许泰，却从小道迎上张永。张永原是和刘瑾一伙的，后来两人意见不和，经常在武宗面前拳脚相向，武宗倒总得为两人劝架。后来张永在杨一清的劝说下，揭发刘瑾造反的逆谋，除掉了刘瑾。

　　张永虽也是武宗最宠爱的太监，倒不像其他人那样作恶多端，不过所干的好事也就是窝里反——除掉了刘瑾。没想到得到天下人的赞扬，张永自鸣得意之余，很感谢为他出谋划策的杨一清，并因此对文臣中有名望、有才能的人也很尊重。

　　王守仁上书痛斥群小，张永也不免心惊。待得王守仁当面夸赞他力除刘瑾的"壮举"，张永又大喜过望，如同有人在关公面前大讲过五关、斩六将一样。人都喜欢被拍马屁，尤其是王守仁这样的名人拍上一掌，滋味自然更加美妙。张永受拍之下，顿释前嫌，并视王守仁为知己，尽心为他设想，劝他认清当前形势，不要一味蛮来。后来他又在武宗面前全力保护王守仁，可以说王守仁到最后能安然无恙，应当归功于张永的保护之德。可怜王守仁身建奇勋，却反而蒙受不可洗刷的罪名，穷途末路之下不得不和张永联手，世道险恶，纵是英雄也得低头，无奈而且可悲。

　　王守仁在南昌抚慰京师士兵的手法也很高明，面对张忠、许泰一干小人的无理挑衅，王守仁骂不还口，以德报怨，终于赢得了京师士兵的爱戴。他又利用百姓祭奠亡灵的机会，用哭声勾起士兵们的思乡之情，与张良吹箫引动楚军逃跑堪相媲美。至于他领张永到南昌，弹压张忠、许泰的气焰，用根本没有的礼簿杜绝二人的无理索求，并最后促成大军早日班师，使得江西全省免受蹂躏和洗劫，都显示出王守仁高超的政治手腕。

　　至于武宗这样的昏君是否值得保，王守仁是否就该和宁王一道共举义兵，废昏立明？这又是另一个问题了，可惜的是，历史不存在假设。

原文

合则收相生相济之美，离则均为无源之水，虽盛不长。

译文

两者相合，可以收到相互生发、相互救助的功效；如果二者偏离，就都成为无源之水，即使看上去壮盛，也维持不了多长时间。

【事典】蓄势后发的宋文帝

宋文帝有很重的心脏病，稍微劳累些便会有生命危险，便把国家政务委托给弟弟相王刘义康处理。

刘义康精于吏事，精力也很旺盛，每天处理国家政务也很勤奋。宋文帝病势稍重，刘义康便停留宫中，侍奉汤药，药非亲口尝过不给宋文帝喝。他连续几天伺候文帝，不眠不休，政事竟也不耽搁。宋文帝见弟弟恭谨孝爱，又勤于政事，也很满意，不是特别重大的事也就不加过问了。

刘义康既是亲王，又是丞相（故称相王），权位本身就已崇重，一手专揽政务后，已和实际的皇上差不多。开始时大事小事他还进宫向宋文帝汇报，后来见宋文帝几次病危，不忍心多打扰他，便自己独自处理了。后来习惯成自然，所有的事刘义康都在自己的相王府中处理，每天早晨门外的车就停了数百辆，都是朝廷大臣和各地进京奏事的官员等候召见。

相王事权既重，就有一群小人围绕身旁，领军将军刘湛便是其中一个。刘湛原本是刘义康王府的长史，和宋文帝宠信的大臣领军将军殷景仁关系很好，殷景仁屡次向宋文帝推荐刘湛，宋文帝便把刘湛调回朝中任给事中，并参知政事。刘湛却自认自己的才能、名望不比殷景仁差，官职倒屈居殷景仁之下，心中愤愤不平，所以不但不感谢殷景仁的提拔之恩，反倒对他充满敌意。然而他知道皇上宠信殷景仁远远胜过自己，虽然愤恨也无可奈何。

刘义康当相王后,刘湛想借相王的权威,驱逐殷景仁,便怂恿刘义康在宋文帝面前诋毁殷景仁。宋文帝对殷景仁信任不移,提升殷景仁为中书令、中护军,并且以他的家为中书府,提升刘湛为领军将军。

刘湛官职虽升,和殷景仁的差距反而更大了,越发有气,便和刘义康商议要重金收买刺客刺杀殷景仁,再谎称他是遇上强盗被害的。即便事情真相大白,皇上也不会忍心治自己弟弟的罪。

宋文帝听到些风声,便把殷景仁的府邸迁到自己皇宫附近,派人保护,刘湛的计谋没能得逞。殷景仁气得对亲戚朋友说:"这是什么样的人啊!我把他领进门来,他却进门就咬人。"

殷景仁知道相王和刘湛容不下自己,便上表称病,要求解除职务,宋文帝却坚决不允许,只让他在家中养病。殷景仁便闭门不出,一"病"便是五年,他和宋文帝虽不见面,两人却每天都有书信往来,有时一天多达十多封。

刘义康专权日久,刘湛和刘斌、刘敬文、孔胤秀等人都唯恐皇上一旦去世,太子即位,刘义康归政新皇,自己便会失去权势富贵,便千方百计想要刘义康登上帝位。

有一次,宋文帝病重,刘义康入宫探视,以为宋文帝活不了了,出宫后便对刘湛等人痛哭流涕。刘湛却扬言"天下艰难,怎是幼小的君主能治理得了的",言下之意是要拥立刘义康这样的"长君"。刘义康对这种大逆不道的话虽未赞同,也不谴责,竟是默认了。

宋文帝

即刘义隆,南北朝时期宋朝第三位皇帝。在位期间,提倡文化,整顿吏治,清理户籍,重视农业生产,三十多年中相对安定,史称"元嘉之治"。

镜 鉴

大权不可旁落,虽至亲亦生患。

刘湛便和同党为刘义康接位做准备，凡是和自己不是一条心的官员，都千方百计捏造其罪名，免官的免官，流放的流放，只有殷景仁受到宋文帝的特殊保护，得以无恙。

宋文帝病好后，听说了刘湛对刘义康说的话，了解了他们的意图，便有除去相王之心，只是刘义康党羽已成，遍布朝廷内外，自己身边也有他的亲信。宋文帝不敢轻举妄动，只能暂时忍耐。殷景仁送来密信，上面说"相王权势过重，应该想办法削夺压制，否则对国家不利"。

宋文帝看信后，正合自己心意，只是时机不到，便和殷景仁暗通声息，密商大计。

宋文帝元嘉十七年（440年）五月，刘湛母亲去世，按制度他必须回家为母亲守孝三年。他知道所密谋的事皇上已知道许多，自己身居要位，上下弥缝，还可以推搪一时，如今自己解职还乡，大祸就不远了。临行前，他对自己的同党绝望地说："今年必败！"

宋文帝见刘湛回乡守丧，刘义康的智囊已去，便和殷景仁加紧密谋。

同年十月，宋文帝在华林园廷贤堂正式召殷景仁入宫。殷景仁称病五年，经常躺在床上，很少活动，两脚居然拘挛不能行走，便让人用小床把自己抬入华林园。

南朝六系罐

宋文帝见到殷景仁后，便把这次行动的指挥权交付给他。殷景仁坐在小床上指挥布置。他先代文帝下旨召相王刘义康入宫，把他软禁在宫中，然后传召禁军统领沈庆之，命他搜捕刘湛及其党羽下狱，下诏宣布刘湛等人的罪过，便在狱中将刘湛等八人处死，余党迁徙广州安置。一场随时可能发生的宫廷政变就此消除了。

释评

相王刘义康其实并没有弑上篡位的野心，他的弊病在于专权独断，他总以为兄弟至亲，自己可以不像外人那样要避避嫌疑。然而事事如此，已等于架空了宋文帝，以宋文帝之宽厚，也难以忍受主权被夺，哪怕是自己的亲弟弟所为。

待到刘湛等人结成相王死党，情形就更严重了，几人公开宣扬："宫车一日晏驾，宜立长君。"这就摆明了即便不夺宋文帝的位，也非夺太子的皇位不可。至此皇帝、相王兄弟之亲，已如水火不能并存，除非宋文帝甘心把皇位传给弟弟。

宋文帝的处晦手段是极高明的，他只要漏出对相王不满的意思，刘义康就有可能为求自保铤而走险。赵匡胤"烛光斧影"的悲剧就可能在刘宋王朝预先上演了，以刘义康当时的权势而言，布置一场宫廷政变不过是翻覆手而已。

所以，宋文帝不露声色，朝中事务任凭刘义康所为，却只死保殷景仁一人，毕竟心腹智囊是不能被除掉的，只是君臣二人被逼得不能见面，只能如间谍般密信往来，也是够可怜的。

一旦时机成熟，宋文帝便施出霹雳手段，一夜之间便把刘湛等人诛除净尽。刘义康

南朝青釉莲花盖尊

失去权柄后，不过是一废人，杀与不杀已无关紧要。

刘义康之祸既缘于自己不学无术，不懂得主权、臣权的区别，更成于刘湛一伙小人之手。"亲君子，远小人"，不仅一国之君需要如此，做官的、经商的甚至平民百姓也应如此。因为小人之祸无所不在，大者亡国，小者败家。刘义康不明白这个最基本的道理，所以身遭大祸还不悔悟。

殷景仁也是遭受小人祸殃的人，他把刘湛引荐到朝中，却处处遭受刘湛的排挤和陷害，如果不是宋文帝全力保护，真不知道身死何

方了。

殷景仁是一儒雅君子,喜怒不形于色,清除了刘湛等人之后,只要一提起刘湛,他就会失去控制,大异常态,指天画地,痛骂刘湛不止,和平日形象判若两人。在一次宴会上,他又痛骂刘湛,声泪俱下,也许是喝多了酒的缘故,竟突发重病,不治而亡,人们都说他是被刘湛活活气死的。

小人还不够可怕吗?!

原文

晦者如崖,易处而难守,惟以无事为美,无过为功,斯可以免祸全身矣。

译文

处晦的形势如同立身悬崖,容易站立却难于坚守。只有坚持没有事最好、做事没过错就是功劳的原则,才可以免除祸患,保全己身。

【事典】微言解祸的陈以勤

明世宗听信道士所说的话——"二龙不相见",所以不立太子,也不和儿子见面,以免妨碍自己得道升天。

裕王是世宗的长子,本应册封太子居住东宫,却因"二龙不相见"的缘故,被封为裕王,出居王邸。

陈以勤、高拱和张居正同为裕王讲官。当时裕王的太子名分并未确立,而觊觎太子地位的人却很多,一些奸佞小人从中交构,裕王日日忧愁,不知该怎么办好。陈以勤为裕王出了很多主意,保护住裕王的地位,裕王亲手制了"忠贞"银章,赐给陈以勤。

各王宫每年除正常的收入外,朝廷经常有额外的赏赐,数额很大,却被户部扣住不发。裕王常年见不到父皇一面,父子情分极薄,竟不敢要求父皇拨给这笔钱。

一连几年如此,宫中用度不足,入不敷出,又没有别的来源,堂堂亲王竟然怕起穷来。

当时严嵩执政,其子严世蕃权倾朝野,兵、户两部尚书如同他的管家,陈以勤便和裕王左右亲信准备了一份千金厚礼,贿赂严世蕃。严世蕃大喜,便命令户部把拖欠裕王府的赏赐一次便给了三年的,裕王府这才得以摆脱贫困,步入小康。

裕王在府邸中也熟知严氏父子贪权揽贿、祸国害民的事,经常对左右近臣说些气愤的话,也不知怎么传到了严世蕃耳中。

严世蕃倒还有些狐疑不信,因为他刚为裕王办了一件大事,但他自知罪恶太多,只因皇上宠爱,才得以无恙。他知道世宗一旦归天,必然由裕王接替皇位,如果他对自己父子不满,那可是天大的祸事。假若真是这样的话,裕王的太子地位非废除不可。

他和父亲商议一番,便由他出面请高拱和陈以勤到家中赴宴,一探虚实。

高拱、陈以勤准时赴约,酒至半酣,严世蕃屏退左右,对二人说:

"我听说殿下

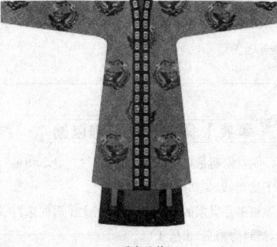

明代服饰

近来受小人蛊惑,心志和以前大不一样,竟然说一些不满意家父的话,这是为何?"

事出仓猝,二人被问得目瞪口呆,并且听出严世蕃话中有威胁的意思。高拱随口说了两句笑话,想敷衍过去,陈以勤却知道只要一句话答不明白,裕王的地位就岌岌乎可危了。所以他把酒杯一推,正色答道:

"殿下的太子地位是早就默定了的,只是未正式册封而已。殿下虽是亲王,王府制度、礼仪比其他亲王都高出一筹,这说明皇上是把殿下当太子看待的。其他王府讲官只用检讨,本王府的讲官却兼用编修,和其他王府也不一样,这说明宰相也是视殿下为太子的。至于谣言,何时没有?我二人朝夕在殿下左右,殿下常对我二人说首辅乃是社稷之臣,却不知严公子从何处听到这些闲言了?"

严世蕃听后,默然不语。

严嵩回来后,父子两人密室商议,觉得陈以勤的话倒也在理。如果仅凭无法查实的传闻便铤而走险,扳倒太子,一旦不胜,便有灭门之祸,于是打消了念头。

❦ 释评 ❦

陈以勤在裕王府任教官九年,辅导保护裕王的功劳很大,他劝导裕王行韬晦之策,他本人也是如此。

裕王当时的处境很是尴尬,既是太子又无名分,既无名分就难免有人起抢夺之心,每天瞪圆眼睛,千方百计找寻他的过失,好捏造罪名,把他排挤出去,自己便可取而代之。陈以勤教裕王深居简出,寡言少行,无过便是有功。

裕王倒是照计而行,只是一时忍耐不住,说了些痛恨严嵩父子的话,险些酿成大祸。

陈以勤回答严世蕃的话,可谓有理有据,刚柔相济,即先说明裕王的太子地位已是确立不可动摇的了,然后又力辟"谣言"。严世蕃听后也为之折服,真是"一言可以兴邦,一言可以丧邦"。尤其是人身处危疑之地，说话便要格外谨慎，非深思熟虑绝不能出口，覆水难收，说出去的话就更是收不回来了。

至于说严嵩父子敢动亲王的念头，也不算新鲜事。杨继盛弹劾严嵩父子，为了取信皇上，便要以裕王、景王为证人，请皇上向二王查实严嵩父子的罪过。

明世宗虽没这样做，严嵩父子却大为震恐，还以为裕王、景王真的在背后支持杨继盛弹劾自己，便授意锦衣卫指挥使陆炳严刑拷打杨继盛，一定要追究"主使者"，也就是要把裕王、景王罗织到杨继盛一案中，真是胆大妄为。

裕王、景王知道后，也是惶然不知所措，因为二人和杨继盛根本没有任何关系，受此无妄牵连，天天害怕大祸临头。

大学士徐阶看不过去，先嘱咐陆炳一定不要牵连到二王，警告他：如果牵连到二王，你的人头就先落地。然后又去见严嵩，直言相告："皇上只有两个儿子，绝不忍杀两个儿子向你谢罪。即便事情属实，获罪的也只能是王爷的左右。二王中必有一人将来做皇上，你和二王结怨，将来不怕子孙灭绝吗？"

严嵩听后，吓得出了一身冷汗，过后只将杨继盛一人处斩了事。

裕王后来登基，为明穆宗。穆宗隆庆元年（1567 年），陈以勤以礼部尚书兼文渊阁大学士入参机务，成为宰相。后来因为高拱、徐阶、赵贞吉、张居正几位大学士相互倾轧，好在陈以勤和这些人关系很好，所以没受到冲击，但他害怕终有一天会成为别人的眼中钉，便称病引退。

陈以勤的儿子陈于陛后来当上宰相。在明朝，父子两人都当上宰相的只有陈氏父子，也可算是他在官邸忠勤恳恳、保护裕王的厚报吧。

陈以勤处在忧危嫌疑之地的韬晦手法是值得后人仔细揣摩并细加玩味的。

原文

势在两难,则以诚心处之,坦然荡然若无事然,勿存机心,勿施巧诈,方得事势之正。

译文

身处两难的境地中,应该秉持诚心,坦坦荡荡如同没事一样,不要存有机巧的心思,也不要玩弄巧诈手段,这样才能把棘手的事情处理得当。

【事典】 苏轼两无所失

苏轼少年未成名前,父亲苏洵带着他和弟弟苏辙去见张方平,张方平当时是以直学士身份出守蜀州。

张方平见到苏轼兄弟,一番长谈后便赏识备至,以国士相许,并且推荐父子三人去见欧阳修,还亲笔写了一封推荐信。

其实张方平和欧阳修二人各负奇才,不相上下,私人关系很僵,两人之间也从无书信往来。张方平却认为欧阳修一定会为国惜才,而不会因为私人间的芥蒂迁怒他人,而苏轼父子三人非欧阳修不足以成名。

欧阳修见到信后,果然认为张方平与自己交恶尚且向自己大力推荐,那么苏轼兄弟一定是旷世难遇的奇才。欧阳修见到苏氏父子三人,又看了他们所写的文章,惊喜之情比张方平更甚,天天在朝廷公卿百官间揄扬三人的大名。十几天间,苏氏父子三人便由默默无闻而名震京师。

所以苏轼父子名虽成于欧阳修之手,却也得力于张方平慧眼识珠,并且转介有方。

然而张方平、欧阳修两人之间的关系并未因此有任何改善,依然敌视如故。两人门下的朋友宾客也各成一党,壁垒森严,从不有所往来,以免有"脚踏两只船"的嫌疑。只有苏氏兄弟游走两人门庭,毫不避嫌疑,却能尽得两人的欢心。

然而苏轼兄弟两人一生，不论在文章中，还是在与友人的交谈中，从未有一言半句涉及到张方平和欧阳修之间的私人关系，对两人也都终生执弟子礼。两人死后，苏轼都亲笔撰写神道碑，赞誉张方平如同孔融，欧阳修如同司马迁、韩愈，赞誉极美而人不以为过。

苏轼文章书法并为当时之冠，所以能得到他亲自撰文并书写神道碑，不仅是死者之荣，更是子孙后代的荣耀。

苏轼自己知道这一点，惭愧自己无法报答二人对自己的知遇之恩，便用书写神道碑来表达自己的感激之情。苏轼从不轻易为人撰写神道碑，另外写过的只有范仲淹、司马光、范镇寥寥几人，都是他素所崇拜的社稷之臣。

一次太后下诏让苏轼为死去的大臣撰书神道碑，苏轼也婉词拒绝。太后体谅他的良苦用心，也不相强。其余大臣贵族见朝廷诏命犹不可，虽然心中羡慕，渴望至极，也不敢讨此无趣了。

释评

欧阳修作为一代文学宗师，尽人皆知。张方平其实也是一代奇人，他少时家贫，便向人借书看，凡书只读一遍，终生不忘，他在文学、政治上的建树不逊于欧阳修。

两人绝交不相往来，却也都熟知对方的为人，所以张方平才敢于向他推荐苏轼父子而心不以为疑。欧阳修也不因是张方平所荐而心有所嫌，

苏 轼

字子瞻，一字和仲，号东坡居士，中国北宋大文豪。其诗、词、赋、散文均成就极高，且善书法和绘画，是中国文学艺术史上罕见的全才。

镜 鉴

避开禁忌，依本分行事，方可于两难中进退得当。

两人合力遂使苏氏父子名震当世，雄视百代，君子成人之美于兹可见。

张方平对苏轼的帮助也不小，一次他遇见苏洵，问苏轼在做什么。当时苏轼正在读《汉书》。张方平奇怪地问："怎么现在才开始读《汉书》?"苏洵说他已是在读第二遍了，张方平大惑不解，问道："书还用读两遍吗?"

苏轼知道后颇受激发，感慨道："我天资不如人，还不能辅以勤奋吗?"手抄《汉书》三遍，卒能成诵。而苏轼一生文章得力于《汉书》、《庄子》为多。

苏轼在湖州太守任上遭御史李定、舒亶诬陷，被逮下御史狱，祸在不测。当时张方平在南京，欧阳修已殁，举朝无人敢为苏轼鸣冤，只有张方平派儿子带自己的奏疏，到京师击登闻鼓为苏轼鸣冤，奏疏语极慷慨激楚。虽因他儿子懦弱畏祸，书未上成，也足见张方平对苏轼的拳拳之情。

北宋贯耳瓶

苏轼兄弟本着"人以国士待我，我以国士报人"的原则，与张方平、欧阳修相交一生，也大有国士之风。

常人处于两派之间，必然依附一派，显示自己立场鲜明。这样做最起码不会被两派共同驱逐，历代朋党之争无不如此，而人们的做法也都是一样。假如有试图两面讨好、八面玲珑的人，不被两派所共逐是不可能的。

苏轼兄弟却感于两人对自己有同等的知遇之恩，所以还报两人也没有差别，独能往来两人门下，却没人以为有何不妥。

其实苏轼兄弟也未必愿意置身这种两难处境，但已然如此，也只好诚心正意去对待两面的恩人。

朱熹创建理学，标榜的就是"诚心正意"四字，然而道学子弟能身体力行到此境界的没有几人，反倒是一向反对道学的苏轼兄弟一生处处都符合这四字。

原文

物非苟得则有患得患失之心,而患得当先患失,患失之谋密,始可得而无患,得而不失。

译文

东西不容易得到,就难免怕得到后又被人抢去,所以没得到之前就应该考虑如何不被人抢去,研究出完备严密的对策,这样得到了也没有后患,也不怕得而复失了。

【事典】李存勖谦让得国

晋王李克用临终前,把儿子李存勖托孤给弟弟李克宁、监军张承业和大将李存璋、吴拱,让他们辅佐李存勖接替自己的事业。

李克用死后,他生前养的一些干儿子各拥强兵,恃战功,不肯奉李存勖为主,人情汹汹,随时都可能发生兵变。

李存勖见情势不利,便请来叔父李克宁,说:

"侄儿年幼,没有威望,又不懂军事,难以服众,不能承继先王大业。叔父久握兵权,随先王四处征战,素为众将所推服,如今还是叔父来执掌军府,发扬光大先王的大业,待侄儿长大有成,那时悉听叔父的安排。"

李克宁勃然道:

"这是什么话?先王把你托付给我,言犹在耳,谁敢擅改先王的遗命。你是先王的继承人,又是先王亲口所命,敢违抗者死无赦。"

李克宁说到做到，他出府后整肃军纪，先前不服气的将领慑于他的声威，无不俯首听命，李存勖才得以接掌军府。

李克用的干儿子李存颢终究不甘心屈居李存勖之下，便劝说李克宁："兄终弟及，这也是古今常理，您身为叔父，却反要向自己的侄子叩拜，这算什么道理？您现在手握军权，又是众望所归，伸手可取的东西却不取，将来后悔可就来不及了。"

李克宁驳斥道：

"我李家世代以上慈下孝闻名天下，先王的大业有合适的人继承，我还有什么奢求？你别胡说话，再胡说我先斩下你的人头。"

李存颢碰了个钉子仍不死心，便伙同其他将领各派妻子去游说李克宁的妻子孟氏。孟氏性格刚悍，耻居人下，认为这些人说得很对，便劝说李克宁废李存勖自立。

李克宁开始时坚决不同意，后来孟氏屡次劝说强迫他，也不能不有所心动。他和监军张承业、大将李存璋在治军问题上又多有冲突，便有了夺权自立的念头。

李克宁和李存颢等人商议，计划邀请晋王李存勖到自己府中，然后杀张承业、李存璋，带河东九州降附于大梁，并把李存勖母子送到大梁做人质。

计谋策划好，尚未施行，全盘计划就被人告密于李存勖。

李存勖找来张承业，痛哭流涕道："家道不幸，叔父竟不能相容，自家骨肉

李存勖

后唐庄宗，李克用长子，沙陀人。自幼随父征战，以勇猛闻名。后以征战统一北方，称帝，国号为唐。后宠信宦官俳优，不知体恤兵将，遂生变，中流箭而亡。

镜 鉴

对所患之人，可先敲警钟，后加掌控。

不可自相残杀，假如我把位子让给叔父，就不会有乱子了。"

张承业怒道："克宁要把大王母子送到虎口里去，大王欲躲避能躲到哪里去？克宁悖逆如此，不除去还有天理吗？"

张承业找来大将李存璋、吴拱和军中重要将领，这些人都发誓效忠李存勖。张承业设计邀请李克宁、李存颢到府中喝酒，等二人来后，尚未坐稳，伏兵四起，将两人擒下。李克宁本想用这方法捉李存勖，没想到被别人用来对付自己了。

李存勖流着泪数落李克宁：

"侄儿开始时就要把军府让给叔父，叔父却坚决推辞。现在事情已然如此，为什么要出这等下策，您怎能忍心把我们母子送给仇敌呢？"

李克宁长叹一声说：

"这都是受小人蛊惑，我还有何话说。"

当天，李存勖便把李克宁、李存颢处死，李存勖到此才算坐稳了晋王的位子。

释评

李克用是唐朝后期沙陀族首领，因在镇压黄巢起义军的行动中屡立战功，被封为晋王、河东节度使，开府太原，与建立大梁的朱全忠是死敌。

李存勖自小便显露出不凡的才能，深得李克用喜爱。唐昭宗曾夸他："此子可亚于其父。"意思是说比他父亲也差不了多少，所以人都称他为李亚子。

梁太祖朱全忠曾感慨地说："生子当如李亚子，我的这些儿子，猪狗不如。"

李存勖削平内乱后，抗契丹，灭后燕，吞大梁，完成了中原统一大业，建立后唐，是为后唐庄宗。然而完成统一大业后，李存勖急转直下，由一个励精图治、奋发有为的君主堕落为沉溺女色声乐的昏君，尤为独特的是他宠信伶人（戏子），成为历史上唯一一个因伶人乱政而亡国的君主，真是兴也勃焉，亡也忽焉。

然而李存勖在勘定内乱时使用的手法确实很老到，他先是用"欲取先予"的方法，故意要把大位让给叔父李克宁，这和刘备临终时嘱托诸葛亮"能辅则辅，不能辅君自取之"的手法如出一辙。

李克宁果然受激，不仅不接受，反而全力弹压不服气的将领，亲手把李存勖扶上晋王的宝座，自己俯首称臣。

可惜的是李克宁不是诸葛亮，也不懂得"鞠躬尽瘁，死而后已"。在悍妻和一些小人的蛊惑下，李克宁居然又在大局已定的形势下欲反叛，而且要把嫂子和侄儿送给死对头朱全忠做人质，已纯属小人中卑鄙之尤了。

李存勖对张承业也依然用"欲取先予"的手法，不过对李克宁是"九虚一实"，对张承业则纯属激将了。

张承业是李克用父子两代的忠臣，本来就看不惯李克宁的跋扈，听到这种逆谋，再加李存勖一激，忠义奋发，便率众将铲除李克宁逆党，终于使大权归于李存勖之手。

原文

音大者无声，谋大者无形，以无形之谋谛有形之功，举天下之重犹为轻。

译文

声音太大了反而听不到声音，谋略至大也会没有形迹可察，以没有形迹的谋略来缔造有形的功绩，即便举起天下这样重的东西也会很轻松。

【事典】羊祜睦邻痹敌

羊祜是晋武帝宠信的重臣，和贾充、卫瑾同为晋室的开国功臣，历处中枢显要官职，军国大计多出于他的谋划。

晋灭蜀后，鼎足三分便成了两分天下。深思远虑的羊祜首进平吴之策。晋武帝同意他的想法，便派羊祜以尚书左仆射的官职都督荆州诸军事，坐镇襄阳。

羊祜到任后，却不注重军事，专以宽大仁爱抚绥远近，先前俘获的吴军士兵，有想回家的，羊祜便一律放还。他还减少巡逻站岗的士兵，全力垦殖荒田。

羊祜初到时，军中没有百日粮，到了第二年，便已囤积了十年的军粮。

羊祜在军中，轻裘缓带，身不穿甲，都督府的警卫不过十几人。中国所谓儒将风范就是羊祜这样，可惜后世无人能及。

晋平蜀后，吴人也大为震恐，知道晋国必将向自己开战，两国边境线上的气氛很是紧张。

羊祜却似乎无意动武，有时要和吴军交锋也先派人下战书，约好时间地点，然后堂堂正正地战，从不使用偷袭、设伏这些阴谋诡计。有些将领觉得羊祜这样做过于迂腐，便进都督府献计献策，羊祜听个开头，便盛情劝酒，献计的人没等说完就已醉倒了。

羊祜无事时便和众将出外打猎，却

羊祜

西晋著名军事家、政治家、文学家。坐镇襄阳十年，屯田兴学，安抚远近以收揽民心。后力请伐吴，为反对派所阻挠，不久去世。晋以其生前所献谋略平吴。

镜鉴

以信义来瓦解和蒙蔽敌人，比频出诡计更加有效。

只在自己的这一带打猎。有时猎物是吴人先打伤的,逃到这边来,羊祜便命人把猎物送还给吴人。一次行军打仗,羊祜率晋军进入了吴国地界,军中乏粮,便割吴人的麦子为粮,然后按照价格留下绢帛赔偿。

羊祜一系列抚绥政策大收功效,吴人称呼羊祜为羊公而不称其名,吴军将士降附者不绝。

吴主孙皓派镇军大将军陆抗镇守边境,羊祜经常派使者到陆抗营中通信致意,陆抗也以礼还报,两人的书信往来不绝。

陆抗警诫手下的将领说:"人家专做仁义的事,我们却专做残暴的事,这仗不用打,我们就已败了。"所以严禁将士越边侵掠,只是谨慎守住自己的地方而已。

孙皓听说边境上两将和睦,下诏责备陆抗,陆抗上表申辩说:"一个乡村一个城镇还要讲忠与信,何况大国之间。我如果不这样做,正反衬出他的仁德,对羊祜没有损害。"

陆抗也衷心钦佩羊祜的为人,称赞羊祜说即便是乐毅、诸葛孔明也难以超过他。一次陆抗生病,他派使者向羊祜求取药方,羊祜便把成药交付使者。陆抗得药后便要服用,众将都劝他不要服药,防止有毒,陆抗笑道:"哪有羊祜下毒害人的道理?"服下药后,病也就好了。

西晋马踏飞燕

羊祜表面上与邻邦友好,暗地里却整治器械,训练士兵,时刻为吞灭吴国做准备。待到时机成熟,便向朝廷上表,要求发兵进攻吴国。可惜朝中意见不一,主战者寥寥无几,基本都是主和派,竟错失了一次良机。

羊祜知道朝廷否决了自己的建议后,感叹道:"人生不如意的事,十件中常有八九件。"

后来羊祜病重还朝,再次向晋武帝献平吴之策,晋武帝派尚书张华到羊祜家中询问平吴的战略。张华也力赞平吴,晋武帝早已有心,至此下定决心,虽然反对者如故,却断然敲定平吴大计。

晋武帝让羊祜卧床监护众将平吴,好使平吴的功勋归到羊祜身上,羊祜却表示平吴不必自己去,并且推荐杜预自代,上表说:"功名之际,臣实难居。"

羊祜死后两年,杜预率众将平定吴国,大将王浚攻破石头城,孙皓迎降于军前。

捷报传至京城,群臣都向晋武帝祝贺,晋武帝却流泪说:"这都是羊太傅的功劳啊!"派使者到羊祜的庙中,把捷报当着羊祜的灵位宣读,告慰他在天之灵。

释评

古人讲究"修身、齐家、治国、平天下",孜孜以求的就是个人道德,即人格上的完善,可惜能臻此境界的寥寥无几。虽说人无完人,羊祜却几乎可说是"完人"了。

用"大诈似信"来形容羊祜的睦邻政策,似乎有些过分。然而羊祜的一切友好姿态却全是为了以后更猛、更快地打击敌人。兵法有云:"兵不厌诈。"羊祜却全然摒弃诈谋,讲信讲义,然而在信与义的里面,却是"大诈"。

当然这并不是说羊祜的品德有何缺陷,两军对阵,本就是胜与败、生和死的抉择,和日常生活中的待人接物截然不同,然而从古至今敢用、能用羊祜这种谋略的人并不多,不是不想,而是能力不够。

人民解放军曾经用优待俘虏、八大纪律瓦解敌心,获得民心,在对国民党的作战中起到了关键性的作用。羊祜的释放战俘、优待降附、割苗赔绢、不争猎物与此也很相似,时间却早了1000多年。

陆抗也是一代名将,对羊祜的用意自然了然于胸,却无法抵挡,迫不得已也只好学着羊祜的样子做,已然屈居下风了。

羊祜的做法大大减弱了吴军对晋军的敌意,瓦解了吴军的斗志,也使得吴军边防松懈。后来杜预能一举平吴,如摧枯拉朽,全仗羊祜的前期准备工作。假如不是朝中反对的人太多，平吴大业早在羊祜手里便已完成了，所以功成之日，晋武帝追思羊祜的功劳，流泪说："此皆羊太傅之功也。"

中国的将领不但讲究能征善战，更讲究外在的形象，稍通点文墨的便标榜自己为"儒将"，可是都名不副实，徒贻笑柄。

儒将的代表人物自应是诸葛孔明，但被《三国演义》渲染成穿八卦衣，执羽毛扇，又能呼风唤雨，颇有"妖气"之嫌。而羊祜的"轻裘缓带，身不穿甲"，杜预的"射不穿札"，这才是标准的儒将风范，千百年来，始终受到后人的推崇。

羊祜不仅建立了不朽的功名，在人格的完善上也少有人及。

他的夫人是夏侯霸的女儿，司马懿使诈诛灭曹爽，夏侯霸投降了蜀国。那些娶夏侯家族女子为妻的人纷纷休妻，表明自己立场坚定，界限分明，以避祸求荣。羊祜不仅不休妻，反而对夫人更加尊重，更加恩爱。

羊祜历任晋室中枢腹心官职，向朝廷推荐过许多人，却把草稿都烧掉，也不让人知道。有的人劝他不要这样保密，也好让这些人知道是谁推荐的他们，好有感恩之心。羊祜却说："官爵是朝廷封拜的，却要人到我家里拜谢我私人的恩德，这符合道理吗？"羊祜的这句话成为历代廉直公正官员的座右铭。

羊祜去世的那天，正是荆州民众集市的日子，听到消息后，荆州士民为之罢市，苍哭野祭，悲号之声响震荒野。东吴境内的军士、百姓也无不落泪，家家设位祭奠。

羊祜生前喜欢游览山水，常常在砚山与僚属把酒为欢。襄阳百姓追思羊祜不已，便在砚山上羊祜经常登临的地方建庙立碑，附近的人都到碑前洒泪思念羊祜，杜预名之为"堕泪碑"。

砚山本是中国山水中默默无闻的一处，却因羊祜而成为著名的风景区，山以人传，遂为文人墨客喜欢游览观赏、一发思古之悠情的地方。

原文

事之晦者或幽远难见，惟有识者鉴而明之，从容谛谋，收奇效于久远。

译文

有的事情很隐晦，祸机的发生也在很久以后，难以预见，只有见识高超的人才能敏锐地察觉到，预先策划好的对策，在很久以后却能收到奇异的效果。

【事典】吕夷简远谋纾大祸

宋真宗时，后宫李妃生子，他就是后来的宋仁宗赵祯。当时正得宠的刘皇后无子，宋真宗便命刘皇后认赵祯为子。

赵祯长大后，以为自己是皇后亲生，宫中人畏于皇后威严，没人敢对他说明真情，赵祯对刘皇后也极为孝顺。

宋真宗去世，赵祯即位，是为仁宗。刘皇后垂帘听政，更没人敢对仁宗讲明。李妃身处真宗的众多嫔妃中，对仁宗也不敢露出与众不同之处。

后来李妃病死，刘太后想把葬礼办得简单些，以免引起别人的疑心，万一传到仁宗耳中，就拆穿了这副西洋镜了。

宰相吕夷简却反对，在帘前争执，说："李妃应该厚葬。"

当时仁宗正在太后身边，刘太后吓了一跳，忙把仁宗领出去，然后厉声问吕夷简："李妃不过是先帝的普通嫔妃，为何要厚葬？况且这是宫里的事务，你身为宰相，多什么嘴？"

吕夷简平淡地说："臣备位宰相，所有的事都该管。如果太后为刘氏宗族着想，李妃就应厚葬；如果您不为刘氏着想，臣就无话可说了。"刘太后沉思许久，想明白了吕夷简的用心，便下旨厚葬了李妃。

吕夷简出宫后，找到总管罗崇勋，告诉他："李妃一定要用皇后的礼仪厚葬,丝毫不能有缺,棺木一定要用水银实棺,可别说我没告诉你。"

罗崇勋见宰相表露出少有的庄重与严厉,惟惟听命,于葬礼用物丝毫不敢轻忽。

刘太后死后,燕王为了讨好皇上,便告诉仁宗:"陛下不是太后所生,而是李妃所生,可怜李妃遭刘氏一族陷害,死于非命。"

仁宗大惊,忙传讯老宫人,刘太后已死,无人再隐瞒此事,便如实禀告。

仁宗知道后,痛不欲生,在宫中痛哭多日,也不上朝。他一想到亲生母亲朝夕在左右,自己却不知道,母亲从生至死,自己从未孝养过一日,最后竟然不得善终。

他越思越痛,自己下诏宣布自己为子不孝的大罪,改封母亲为皇太后,并准备为母亲以后礼改葬。待改葬后再查实,清算刘太后一族的罪过。

然而宫闱秘事本来就是无法查实也无法说明的,刘氏宗族的人知道后惶惶不可终日,既无法申辩,便只能坐待灭族大祸了。大臣们见皇上已激愤到极点,便没人敢为刘太后一族说上一句话。

改葬李妃时,仁宗亲自抚棺痛哭,却见李妃因有水银保护面目如生,肌体也完好,所用的葬器都严格遵照皇后的礼仪。

仁宗看到后,大喜过望,哀痛也减少许多。他对左右侍臣说:"小人的话真是不能信啊。"改葬完后,仁宗非但不

吕夷简

字坦夫,宋代政治家,祖籍莱州,出身仕宦之家。真宗年间以刑部郎中权知开封府,仁宗立,年幼,吕夷简以宰相之职辅佐,权重一时。

镜　鉴

细微之事中常包藏祸因,不可不思虑周全。

追究刘氏一族的罪过,反而待之更为优厚。

释评

宋朝时贤相辈出,远胜于其他朝代,吕夷简称不上是贤明宰相,不过在处理仁宗生母李妃的葬事上,倒显示出人所难及的深谋远虑。

古时皇后无子,养其他嫔妃所生子为自己儿子的并不少见,东汉章帝就是别人所生,马皇后养以为子。章帝自己也知道此事,感于马皇后养育之德,待之与亲生母亲无异,对待马氏家族也比对亲生母亲的族属更为优厚。

刘皇后不明此义,一意掩饰,殊不知无论何等隐秘事,终有大白于天下之日。她付出的辛苦不少,却为自己的家人亲属埋下了杀身祸根。

吕夷简毕竟是深谋远虑,已预见到此事必将真相大白,也预想到了会有小人借机大进谗言,以及仁宗的反应,所以借李妃的葬礼把此祸预先消除。刘皇后倒也不糊涂,想明白吕夷简的用心后,便同意厚葬。不过她对此事可能会带来的严重后果依然没有吕夷简看得分明,所以吕夷简又亲自找到主管葬礼的人,唯恐他不明白此事的重要性,从中偷工减料,尤其是点明一定要用水银实棺,这一点后来起到了关键性作用。

仁宗知道真相后的激烈反应也是人之常情。从李妃生前备受压抑来推测,她死于太后及其亲人之手也是大有可能的。如果想找证人也很容易,刘皇后垂帘多年,也会得罪很多人,这些人无论是出于报复还是讨皇上的欢心,都会无中生有地加以证实,古时冤狱也大多是这样造成的。

试想仁宗打开母亲的棺木,如果尸体腐烂不可辨识,陪葬的器物再俭薄不成体统,仁宗痛上加痛,一怒之下也许根本不愿去查了,刘氏家族想要保留一条活命都不可能了。

然而开棺之后,一切与想象的不同,仁宗虽然思念哀痛,但已不相信母亲死于非命之说，也算大有安慰，不但不痛恨太后，反而生出感激之情，对刘氏宗族愈加恩宠。

仁宗是历史上少见的宽厚有德的君主，刘皇后执政多年，也可谓有功于国，然而她的家族却在一件难以预料的事上在鬼门关上绕了一个弯。祸与福就是如此难料，令人在钦佩吕夷简之余，也不禁战栗危惧。

原文

祸福无常，惟人自招，祸由己作，当由己承，嫁祸于人，君子不为也。

译文

灾祸和幸福并没有固定的规律，都是人自己招来的。自己闯出来的祸，应当由自己承当，嫁祸给别人，这样的事不是正人君子做的。

〔事典〕李梦阳累祸康海

明武宗初期，宦官刘瑾、谷大用、张永等八人诱导武宗淫戏嬉乐，号称"八虎"，窃弄权柄，扰乱朝政。

大学士李东阳、刘健、谢迁屡次劝谏，明武宗不听。

一天，户部尚书韩文和部中僚属谈及"八虎"乱政、朝纲紊乱的情形，痛哭不已。

当时任户部郎中的李梦阳上前说道："大人是朝廷大臣，为什么要哭呢?"

韩文问道:"还能怎么办?"

李梦阳说:"近来谏官弹劾'八虎'的奏章很多,内阁几位大学士想除去'八虎'的决心也很大,您如果率其他几部的大臣官员跪在宫门前力争,大学士必然在里面响应,去除'八虎'是件很容易的事。"

韩文大喜,便嘱托李梦阳起草驱除"八虎"的檄文。

大学士刘健、谢迁、李东阳接连上疏要求除去"八虎",御史、给事中诸谏官也纷纷上章弹劾,韩文又率六部大臣跪伏宫门力争。

武宗当时年纪尚轻,心无主见,迫于群臣声势,不得已要罢免刘瑾等八人。武宗派司礼太监王岳、陈宽、李荣到内阁宣布诰命,要把刘瑾八人流放到南京。

刘健却坚持非夺掉这八人性命不可,不肯奉命。尚书许进劝他:"到此地步也就可以了,过激恐怕会生变故。"

刘健却说:"先帝把皇上托付给老臣,国家被这八人败坏到这等地步,不杀之不足以绝后患。"刘健声色俱厉。

王岳为人正直,也看不惯刘瑾等人的所作所为,便说:"阁臣说得对。"便回宫中把刘健的话转述给武宗。

武宗被群臣逼迫,又实在不忍心杀刘瑾等人,竟为难得在宫中痛哭,不知所为。

刘瑾等八人开始也是痛哭不已,后来听说大臣们非置自己于死地不可,便决心拼死抗争。八人夜见武宗,刘瑾对

李梦阳

明代文学家,著有《空同集》,曾为士林领袖,仕途多舛,鞭打寿宁侯张鹤龄,反对宦官刘瑾,数次下狱,赖康海说情得释。

镜　鉴

惹祸后牵连无关之人,不义。

武宗说:"真心要害奴才们的是王岳几人,大臣们气势汹汹,都是这几人挑起来的,他们是要勾结大臣限制皇上出外游玩,况且偶尔玩乐怎会损害国家大事。这都是司监无人,否则这班文臣岂敢如此猖狂,连皇上都敢欺负?"

武宗一听有理,便把气都发泄到王岳身上,马上任命刘瑾执掌司礼监,谷大用执掌西厂,马永成执掌东厂,当夜逮捕王岳等人充南京净军。

第二天大臣们上朝,满心以为武宗会下诏诛杀"八虎",没想到竟是如此,便知道已经无力回天了。刘健等人纷纷辞官,刘瑾因祸得福,反而执掌司礼监大权。

刘瑾既得志,便专心报复那些攻击自己的人。他打听到是李梦阳出主意让韩文率大臣跪伏宫门,要求皇上除去自己,心中恼怒,便借其他事端,把李梦阳逮捕入狱,非要他死不可。

李梦阳性命攸关,在狱中写了一张纸条托人送给修撰康海,上面只有四个字"对山救我"。

康海,字德涵,弘治十五年(1502年)的状元,平日和李梦阳诗文唱和,交谊很厚,"对山"是他的号。

刘瑾和康海是同乡,刘瑾得志后,气焰嚣张,视满朝文武大臣蔑如也。四年一个的状元郎本来不放在眼里,刘瑾却因为康海是自己的同乡,便极为仰慕,多次派人到康海家,表达自己仰慕结交的意思,康海却置之不理。刘瑾虽然恼怒,却不愿向自己的同乡下手,所以还能容忍。

康海见到李梦阳的纸条后,知道李梦阳是让自己向刘瑾求情,但他更明白,只要一只脚踏入刘瑾的家门,一生的名节就全毁了。

他思来想去,终究不忍心眼睁睁看着挚友惨死狱中,便狠下心来去见刘瑾。

刘瑾在家中听说康海来访,惊喜得连鞋都顾不上穿,光着脚到门前迎接。他把康海迎到家中,请他上坐,极尽殷勤待客之道。

康海与刘瑾虚与委蛇一阵,便委婉说出李梦阳的事,刘瑾狂喜之余,也不计较李梦阳得罪自己之处了,第二天便派人把李梦阳释放出狱。

过了一年,刘瑾因谋反被杀,朝廷便开始清除刘瑾党羽。康海因和刘瑾有过来往,也名列逆党名单,被削职为民,并且永远不可能有重新起用的希望了。

李梦阳陷康海于逆党中,自己倒恢复官职,后来又提升为江西提学副使,最后却挂名朱宸濠逆党名单中,也被削职为民。

释评

历来宦官祸国,无非是因为皇帝贪于安逸淫乐,而把国家事务交付给宠信的宦官处理。宦官不过是皇帝的奴仆,缺少管理国家的才能,又受过阉刑,心理也有些变态,所以宦官祸国的根源依然是皇帝任人不明。

然而宦官不过是缺少知识的小人,本身大多没有什么才能,做起坏事来也有限。而助成宦官之祸的都是那些无耻的士大夫,即所谓阉党中太监以外的官僚。这些阉党人士可都是有才能的小人,祸起国来比宦官的水平要高得多,因此这些助纣为虐的人比那些宦官更加可恨。

所以,历来名字一列入阉党的士大夫,便被众人所不齿,如同被定性为"汉奸"一样,永世不得翻身,这既是民族大义所在,也是这些人罪有应得。

康海名列阉党却是冤枉至极,他屡次拒绝刘瑾的盛意邀请,焉能不知道刘瑾随时可置他于死地?只因名节所关,虽死不辞,早已把生死置之度外了。

待到李梦阳求救,康海其实完全可以不理,因为没有人有权利要求别人牺牲名节来救自己的性命,这已不是强人所难,而是陷人于不义了。假如康海严词拒绝,不但不会有人说他负友,反而会博得一个美名,至少可保全自己的名节,这可是他视之重逾生命的。

然而康海却过于看重友情了,俯首低眉,委屈自己向刘瑾求情,把李梦阳从鬼门关上救了回来。

刘瑾败后,李梦阳因搏击逆阉而得美名,恢复官职,一路提升,志得意满。甘心毁掉自己而救他的康海却被废弃为民，郁郁终生。康海从未为自己申辩过一句，李梦阳居然也心安理得，不挺身为康海力辩，既已陷人于不义，却不伸手去救，袖手扬长而去，两人虽一得美名，一负恶名，而为人却截然相反，泾渭分明。

原文

福无妄至，无妄之福常随无妄之祸，得福反受祸，拒祸当辞福，福祸之得失尤宜用心焉。

译文

福不会无缘无故降临，这样的福通常都会有大祸，得福反而得祸，要拒绝祸就要辞去这种福，祸和福的得失最需要用心观察思考。

【事典】光武帝闭关拒使

东汉光武帝建武二十一年（45年），西域十八个国家各派使臣携带重礼，到洛阳朝见光武帝，希望能重新附属于中原天朝上国。为表示诚意，各国国王也都派出自己的儿子到朝廷做人质。

群臣都商议说，西域各国自前汉时就已附属中原，只因王莽篡权，国内大乱，匈奴乘机以武力胁迫各国臣服于自己。匈奴残暴，赋税繁重，西域各国不堪其命。而今汉室中兴，各国思慕恩义，远道入关，求为附属，正应答应他们的要求，恢复旧时疆域。

光武帝沉思多日，觉得中原战乱刚刚平息，民力物力都损耗殆尽，急需休养生息,假如答应西域各国的请求,势必会和匈奴发生冲突,一场大战必不可免;况且西域各国内附,朝廷所得不过是天朝上国的美名,而为此却要付出沉重的代价,正所谓"图虚名,受实祸"。

光武帝下诏拒绝各国附属的请求,好言抚慰使者,归还礼品和人质,并送上一份厚礼,派人护送他们出玉门关。

随后光武帝又派兵封闭玉门关,不许西域各国的使者入关,向匈奴表示自己和西域各国断绝往来,绝无染指匈奴势力范围的企图。

建武二十七年(51年),匈奴境内遇到灾荒,疫病流行,各种族间发生争斗,形势混乱,实力也大为削弱。

光武帝知道这情况后,便询问藏宫,藏宫自告奋勇说:"臣只需要五千兵马,就可攻击匈奴立大功。"

光武帝大笑道:"总打胜仗的人,是不能和他预料敌人情势的,你等我再想一想。"

当时功臣猛将都闲居洛阳,没有仗打,未免闲得难受,都想攻打匈奴再立战功。藏宫便和马武上书,要求率兵攻打匈奴,并认为匈奴自相争斗,内部不能统一,实力减弱,正是一举歼灭匈奴的大好时机,千万不能错过。

光武帝思虑缜密,下诏否决了众将的请求。他认为当今国力尚弱,百姓尚未得到休息,政治也不够完善,国内事务需要做的工作很多,不适宜马上和匈奴开战。匈奴的确是历代以来的大祸患,假如真能集天下一半的力量一举歼灭它,岂不是天大的好事;如果时机不到,那还不如休养生息,培植国力。道

光武帝

刘秀,东汉第一位皇帝。汉景帝后裔,高祖九世孙。因起兵反对王莽,恢复汉室政权,成为中兴之主。政治上清静俭约,兴建太学,提倡儒术,堪称贤明君王。

镜 鉴

决策须谨慎,须了解实际情况,不慕虚名。

路传闻多有失实夸大的地方,匈奴并未衰弱到我们听说的那种程度,所以时机还不到。

众将见光武帝态度坚决,便无人再敢提发兵攻打匈奴的事了。

建武二十八年(52年),匈奴单于也怕大汉乘自己虚弱攻打自己,便遣使通好,上贡良马和裘皮。光武帝回信说:"单于境内也很贫穷,礼物不过是表达情意而已,何必要送良马和裘皮。"回赠给单于绢帛五百匹,斩马剑一柄。

一直到光武帝去世,边陲宁静,烽火不举,百姓得以休养生息,如西汉文帝、景帝时一样,国家元气得以恢复。

释评

光武帝刘秀削平群雄,建立东汉政权,当时称之为汉室中兴,刘秀死后的庙号为汉世祖。

封建君主贵为天子,富有四海,已无法更上一层楼了,便往往贪慕虚名,喜欢附近邻国都臣属自己,尊称自己为天朝上国,自己以上帝自居。英明君主如唐太宗,也不免陶醉于"天可汗"的称号;永乐大帝派郑和七下西洋,也无非是让岛屿小国臣服自己,承认自己天朝上国的地位,费尽民力物力,土地没得到一寸,赏赐给各国的物品比各国献上的贡品多百倍甚至数千倍。究竟得到了什么?不过是虚名而已。

西域各国正是感于汉朝的恩德,不堪匈奴的残暴,主动要求内附。当时国内战争已基本平息,勋臣猛将尚有余勇可贾,假如光武帝不顾虑民生艰难,不爱惜士兵的伤亡,也不在乎财物的损耗,赫然命将,大举讨伐匈奴,集中原全力,未必不能置匈奴于死地。然而即便获胜,国家元气也必消耗殆尽,百姓负担过重,死伤累累,必然会有内乱,汉室江山怕又要处于风雨飘摇之中了。

光武帝有鉴于此,关闭玉门关拒绝西域各国的使者,卑辞厚礼结交匈奴单于,专心休养生民,增强国力,其深识远虑纵然汉高祖刘邦也有所不及。

刘秀和刘邦一样，都是从马上百战而得天下，然而刘秀起兵之初，就重视安民养民，所到之处以招揽人心为第一要务。当时建立旗号的英雄有几十位，有许多人实力都比刘秀强盛，却都被刘秀逐一消灭，所差之处就在于能否得民心。得民心者得天下，绝非虚言。

刘秀在用兵上一直很节制，他在命令将领进攻蜀中公孙述时，曾自嘲说："人若不知足，既得陇，复望蜀。每一发兵，头发为白。"

发一次兵，头发就要白几根，这话并非夸大，正体现了光武帝爱惜人命、重视民众生计的用心。

有此仁心做基础，再加上他卓越的治国平天下的本领，即便他不是刘氏宗族，这天下依然会落到他手里。这是民心之所归，何必论以天命！

夫明晦有时，天道之常也，拟于人事则殊难形辨。或曰："'君子以自强不息'，何用晦为?"此言虽佳，然失之于偏。

天有阴晴，世有治乱，事有可为不可为。知其理而为之谓之明智，反之则为愚蠢。晦非恒有，须养而后成。善养者其利久远，不善养者祸在目前。晦亦非难养也，琴书小技，典故经传，善用之则俱为利器。醇酒醉乡，山水烟霞，尤为养晦之鼎炉。

人所欲者，顺其情而与之。我所欲者，匿而掩之，然后始可遂我所欲。君子养晦，用发其光;小人养晦，冀逞凶顽。晦虽为一，秉心不同。至若美人遭嫉，英雄多难，非养晦何以存身?愚者人嗤，我则悦安，心非悦愚，悦其晦也。愚如不足，则加以颠。既愚且颠，谁谓我贤?养晦之功，妙到毫巅。

"日用不足,月用有余。"不在一事一处上见长,却在每事每处上见长。这是古人治国的最高境界。

收敛自己的锋芒,藏好自己的棱角,这是养晦的必由之路。

名与实相表里,名者皮也。有名无实者凶,有实无名者吉。

鹰立如睡,虎行似病,正是养晦的最佳状态。

原文

夫明晦有时,天道之常也,拟于人事则殊难形辨。

译文

光明和阴晦都有固定的规律,这是自然规律运行的结果,然而用人事上的情形来比拟光明和阴晦,就很难从外表上判断出来。

【事典】王导的遵养时晦

东晋成帝咸和五年(330年),驻军江州的后将军郭默因不满刺史刘胤的所作所为,伪作朝廷诏书,率兵诛杀了刘胤,并且把刘胤的首级送到京师建康。

司徒王导认为郭默骁勇难以制伏,便劝成帝下诏赦免郭默擅杀刺史的大罪,任命郭默为江州刺史,并且把刘胤的头高悬竿上,宣布罪状。

太尉陶侃听说此事后,立刻站起身说:

"郭默所称诏书一定是假的,他这是造反。"陶侃决定即刻发兵进讨。

陶侃的幕僚、将吏都劝他要慎重,说:

"郭默如果不是奉诏书,怎敢做这种大逆不道的事?即便要进军征讨,也该等朝廷下旨。"

此时郭默也畏惧陶侃,派人送来美女和绢帛,并把朝廷给自己的任命诏书誊录一份,给陶侃看。

陶侃置之不顾,厉声对僚属们说:

"皇上年幼,诏书不是出于皇上之手。刘胤是朝廷所派的封疆大吏,即便不称职,郭默也不能擅自杀害。郭默不过是仗恃自己凶勇,想趁国家大难之际,割据地方而已。"

陶侃一面加紧进军,一面上书朝廷说明自己发兵的原因,同时写信给

王导,谴责他说:

"郭默杀刺史你就任命他做刺史,如果他杀宰相你就让他当宰相吗?"

王导见陶侃已发兵,便收回刘胤的首级,给陶侃回信说:

"郭默占据长江上游,又有舰船这些现成的军资,所以朝廷包含隐忍,让他占据江州。朝廷得以暗中准备,等你的大军一到,两相合击,岂不是遵养时晦来定大事吗?"

陶侃看到信后,很不以为然,嘲笑说:

"这不是遵养时晦,而是遵养时贼。"

陶侃和豫州刺史庾亮合兵,把郭默围困在江州,五月便擒获郭默父子,斩于军门,传首建康。

释评

在处理郭默一事上,应该说王导和陶侃都没错。王导虽执掌朝政,手中却无兵,所以运用养晦的计谋一面安稳住郭默,一面积蓄力量,调兵遣将,自命为"遵养时晦"。

陶侃手中有兵有将,闻变即起,发兵征讨,他嘲笑王导是"遵养时贼",其实这只是两人所处位置和行事风格不同而已。

王导是东晋得以建立、稳定并且以衰弱的国力延续多年的第一功臣,他的一生几乎可以说是养晦术的大成。

王导是琅邪王司马睿的好朋友,司马睿虽是亲王,却极为尊重王导,

王 导

东晋大臣,出身名门望族,少有识量,性情谦和宽厚。拥立元帝,历仕三代,为东晋政权的奠基者之一。

镜 鉴

对手过于强大时,不如暂时隐忍以待时机。

两人成为布衣之交。八王争权，天下大乱，王导和司马睿都在洛阳，王导便劝司马睿到自己的封国去，以躲避战乱。恰好朝廷任命琅邪王司马睿为安东将军，持节都督扬州江南诸军事，开府建康。司马睿便请王导为安东司马，两人一同率僚属渡江，开辟了江南一块根据地。

司马睿的名望很浅，虽然以亲王的身份开府建康，江南的士族却很瞧不起他，也无人归附，司马睿竟成了没人理的外来户。

司马睿尽心信任王导，凡事都和他商议，王导对司马睿的处境也很忧虑。恰好王导的堂兄王敦到建康，王敦也瞧不起司马睿，不明白王导为什么尽心辅佐他。王导说：

"琅邪王仁德宽厚，只是名望尚浅，兄威名已著，应该帮助一下琅邪王。"

王敦看在王导的面子上，也就答应了。

王导便趁三月江南人士拔褉的机会，让司马睿坐肩舆出游，自己和王敦以及中土名士骑马侍从。江南士族领袖纪瞻、顾荣、贺循等人看到，大惊失色，都拜伏于路旁。

王导又劝司马睿把顾荣、贺循聘为军府要职，以招揽江南人心。司马睿便让王导去请，王导亲自去两人家中拜访，两人遂同意出任司马睿将军府中的要职。由于两人带头，后来又陆续有不少江南名流接受司马睿的聘请，任职军府，司马睿这个外来户至此才在江南站稳脚跟。

建兴四年(316年)十一月，汉赵大将刘曜攻陷长安，西晋最后一位皇帝愍帝出降，西晋灭亡。

消息传到建康后，王导便拥立琅邪王司马睿于建康称帝，是为晋元帝，开始了东晋时代。

元帝感念王导拥立辅佐功劳最大，在即位接受群臣朝拜时，再三坚持让王导和自己同坐龙椅，以表示自己对他的特殊礼遇，王导固辞不肯。

立帝时，王敦原想拥立别的亲王为帝，王导却坚持要立琅邪王司马睿，王敦拗不过他，只好随从。元帝任命王导领中书监、录尚书事，总揽朝中机要，又任命王敦为大将军、江州牧。王导在内总揽朝纲，王敦握军权在外主征伐，兄弟二人分执朝廷的文武大权，宗亲子弟遍布朝廷内外的显要官职，王氏宗族至此达到鼎盛时期。当时的人们传扬说："王与马，共天下。"就是说王氏和司马氏共同执掌江山社稷，王氏家族势力之强由此可见。

元帝初时为了感谢王导、王敦的辅佐功劳尽心委任，并不怀疑。王敦自恃有功，颇为骄横，又一向瞧不起元帝，元帝逐渐感到难以容忍。其他朝廷大臣也都感到王氏兄弟势力过大，已成尾大不掉之势，纷纷上书要求元帝削减王导兄弟的权势。

元帝便提拔刘隗、刁协为自己的心腹大臣，逐渐疏远王导。王导很能体谅元帝的处境和用心，自己虽遭冷遇却能淡然处之，不以为意。王敦感到不平，上书为王导喊冤，王导见到奏疏后，没呈给元帝，直接发还给王敦。

王敦再次上书，言辞更为激烈，元帝愤愤不平，又怕王敦有异心，便派刘隗出镇淮阴，戴渊出镇合肥，名义上是防止汉赵的侵入，实际上却是防备王敦。

王敦大怒，索性发兵造反，以诛杀刘隗、刁协，清君侧为名，发兵反攻京城。

刘隗劝元帝尽杀王导以及王氏宗亲子弟，元帝虽然疏远王导，却不忍心杀他。王导每天早晨率子弟百余人到宫前请罪，尚书左仆射周顗在元帝前力保王导忠诚可靠，全力救护。元帝便命王导重新穿上朝服，复官办事，并把自己任安东将军时所持的节杖赏赐给他，表示自己对王导不仅信任而且更加重用。

王敦之乱虽然最终平定，却给刚刚建立的东晋王朝以沉重打击，其后又经历了苏峻兵变，几乎给东晋王朝带来灭顶之灾。多灾多难的东晋王朝如同先天不良的小孩一般蹒跚行路。王导力主养晦政策，成为东晋王朝真正的柱石。后人评价他的政策是"日用不足，月用有余"，也就是说在某件事上他的做法并不算是最好的，但从整体来看，却是最好的。这也是王导力量发挥到极致了，而这个评价也是相当高的。

原文

或曰："'君子以自强不息'，何用晦为？"此言虽佳，然失之于偏。

译文

有人说："君子应该奋发向上，永远不懈息，为什么还要用'晦'呢？这句话说得虽然很好，却可惜不够全面。

【事典】张全义巧逐李罕之

张全义是唐朝末年的农民，黄巢起义后，张全义加入义军，黄巢攻克长安，建立政权，张全义被任命为吏部尚书。

后来唐朝各藩镇势力反攻黄巢，黄巢屡屡失利。张全义见势不妙，便投降了唐朝的大将河阳节度使诸葛爽，因作战有功，被任命为绛州刺史。

诸葛爽死后，部将刘经和李罕之争夺地盘，刘经派张全义攻打李罕之，张全义反而和李罕之结成同盟，合兵攻打刘经。两人被刘经打得大败，便向李克用求救。李克用派兵帮助两人打败刘经，占据了河阳，李罕之自己领河阳节度使，任命张全义为河南尹。

张全义虽为河南尹，部属却只有一百多人。张全义便命部属到所属的十八个县中，张榜设旗，招集农民垦殖荒田。

每到开春,张全义便亲自巡视田野,见到种田勤奋的,便给酒食茶织的赏赐;见到田地荒芜的,便招来田主斥责,所以农民都相互勉励把田地种好。

张全义招抚流民的政策很得当,当时河南处四战之地,连年战乱兵燹,百姓四处流散,一乡一镇的农户才有几十户。张全义任河南尹后,每年流民回归的数量都大增,两三年后,户口增多,开垦的田地也越来越多,粮食也储备了很多。

张全义又从农民子弟中挑选年轻力壮的,农闲时便教他们使用弓箭兵器,练习行军打仗,称之为屯兵。张全义就用这种方法为自己建立了一支私人武装。

李罕之却和张全义截然相反,他不屑于种田,专以抢劫为事,率领军队把附近诸县抢掠得一干二净。一些百姓逃到一处高山上,山势陡峭,强盗也无法接近。李罕之知道后,居然率兵爬山越岭,攻破了山寨。当时人们对他又气又恨,送他一个外号"李摩云",嘲笑他能爬到极高处抢劫。

李罕之开始时和张全义也很和睦,后来他时常抢不到东西,便派人到张全义那里索求粮绢等军用物资,后来次数多了,胃口也越来越大。张全义倒不说什么,他的幕僚部属却都愤愤不平,让张全义不要给李罕之物资。张全义却说:"李太傅(李罕之的官职)所要,为什么不给呢?"

有时张全义给得稍微晚一些或者少一些,李罕之就把张全义手下的官吏捉到河阳去,责打羞辱,张全义心中虽不满,表面却毫无表示。李罕之瞧不起张全义,经常在大庭广众之下扬言:"张全义不过是个乡巴佬,有什么可怕的。"张全义听到后,也不以为意。

唐代青釉凤首龙柄壶

李罕之为了扩大地盘,率兵攻打绛州、晋州。张全义见李罕之的兵已全部派出,河阳空虚,一直等待的机会已到,便集合自己的屯兵,乘黑夜攻打河阳,黎明时分便已攻克城池,李罕之越城逃走。

释评

张全义和李罕之不过是小人之交,最后相互倾轧也是很正常的事,只不过张全义比较深沉而已。

张全义借务农种田为养晦之计,暗中却在培植自己的势力,并且蓄兵于民,虽有几万屯兵,却也都是农民,所以没引起李罕之的注意。张全义表面上对李罕之的无厌索求百依百顺,心中却早已有了主意,等待的不过是个时机。

五代时期像李罕之这样专以抢掠为生的军阀遍地都是,都是竭泽而渔,从来不去想水干了以后怎么办,这类愚蠢武夫的智力也就止于此。李罕之连高山绝顶的难民都不放过,既属迫不得已(因为不抢难以生存),也是他的强盗本性使然,"李摩云"真是名副其实。

五代是盛产小人和"变色龙"的特殊年代,国学大师钱穆曾称五代是中国历史上最为无耻的时代。著名的小人代表人物冯道历事十主,不失三公宰辅的高位,甚至厚颜媚事契丹,晚年不以为耻,反而津津乐道,为后人所诟骂。

唐末得壹元宝

张全义与冯道相比也好不到哪儿去,他先是参加义军,然后又叛变投唐。他奉命去打李罕之,反而和李罕之结盟反攻刘经,随后又乘李罕之不防,捣了他的老窝。

事还不仅于此,他后来受到李罕之和李克用攻击,被困河阳一年,甚至以木屑为食,不得已又求救于朱温。他在朱温的后梁政权里倒还忠诚,后梁被李存勖消灭后,张全义又用重金买通李存勖的皇后刘氏,不仅富贵不失，反而被封为王爵。观其一生，也是一个"有奶便是娘"的角色。

当然张全义也有值得称道之处，他尽心招抚流民，垦殖荒田，训练屯兵防备盗贼，使荒凉的开封变成繁华的都市和远近都要依赖的粮仓。这一地区的百姓能够过上较为安定的生活，他也是功不可泯的。

原文

天有阴晴，世有治乱，事有可为不可为。知其理而为之谓之明智，反之则为愚蠢。

译文

天有阴天晴天，人世也有治世和乱世的区别，人事更有可做和不可做的道理。明白了其中道理而采取行动的称之为明智，相反的情形就只能是愚蠢了。

【事典】阳城适时而谏

唐德宗为了显示自己搜罗人才不遗余力，便征聘处士阳城为谏议大夫。

阳城倒不像别的处士那样扭扭捏捏，闻征即起，赶赴京师任职。

朝中的官员见皇上很重视这位处士，也都出城迎接，欢迎的场面极为热烈。当时德宗施政上有很多缺点，朝廷制度规定，只有任谏官的官员才有资格写弹章，抨击朝政得失，所以正直的官员们也都希望阳城能凭借自己的声望，为朝廷拾遗补缺，纠正朝政的偏失。

　　阳城到任后，却令众人大失所望。他不仅对朝政一无所言，反而日日沉醉酒乡。唐德宗本就讨厌谏官天天絮聒，惹得自己心烦意乱，而今得了一个不言谏官，倒是很满意。朝廷中一些正直官员，想言又不在其位，阳城身在其位却又不言，他们失望之余，都痛骂阳城是浪得虚名。文学家韩愈做了一篇著名的《争臣论》，讥讽阳城，希望能对他有所触动。

　　阳城看到后，却不以为意，仍天天和兄弟及宾客痛饮。有人想劝他，阳城便大灌其酒，来劝的人没等说便已醉倒了；有时劝他的人没醉，阳城却先醉倒在来人的怀中了。

　　贞元十一年（795年），陆贽因遭奸人裴延龄谗害，被罢相贬官。德宗因信谗言，对陆贽非常痛恨，把他连续贬官，陆贽已有生命危险。

　　大臣们见皇上盛怒，都不敢上章救援。正在喝酒的阳城听说后，推杯而起，说："不能让皇上信用奸臣，却杀无罪的人。"

　　阳城马上率拾遗王仲舒、归登、右补阙熊执易等人到延英门，上书极力辩论裴延龄是奸佞小人，陆贽忠诚无罪。

　　德宗看到奏疏后大怒，便要严惩阳城等谏官，太子在旁极力为阳城求情，德宗才释而不诛，命令宰相好言把几人打发回去。

　　当时已很久没有谏官闯宫门上谏书的"盛事"了，京城中人听到后都感到很振奋。金吾将军张万福听说后，赶到延英门，在宫门口大声喊道："朝廷有正直大臣，天下一定太平了。"随后又逐个拜访阳城、王仲舒几位谏官，连声高喊："太平万岁，太平万岁！"

唐代三彩梅花纹罐

　　这一下不但阳城名震天下，连八十多岁的张万福老将军也名扬天下。

　　德宗罢免陆贽后，便要任用裴延龄为宰相，阳城在朝臣中到处宣言："如果皇上任命裴延龄为宰相，我一定把白麻撕碎，当庭痛哭。"回去后便写奏疏，揭露裴延龄的罪过。

当时只有任命宰相用白麻写诏书，阳城声言撕碎白麻，倒确是下定决心以死力争了。

德宗看过阳城的奏疏后以为他弹劾裴延龄的事不属实，便改任他为国子监祭酒（官立大学校长）。

释评

阳城在谏议大夫任上只做了两件事：救援陆贽和阻止裴延龄入相，虽然险些获重罪，却也得了直臣的美名，得以名列史册。

韩愈作《争臣论》是在阳城未谏之前讥讽策励他。后来阳城既谏之后，人们都认为韩愈言之过早，不知道阳城是在等待有值得舍生强谏的事才出头来谏，并且慨叹要看准一个人的真正品德很难。

然而宋代文学家欧阳修却认为韩愈讥讽阳城并没错，阳城根本就是一个投机分子。当时可劝谏的事很多，阳城却缄默不言，一定要等到陆贽和裴延龄的事发生后才肯谏，假如没有这两件事，或者阳城在这两件事之前死去，岂不还是位素餐的小人吗？

两位名公的议论应该说都很对，但也反映出封建时代士大夫一种不好的思想倾向，即"文死谏，武死战"。武臣一定要捐躯沙场才壮烈，文官一定要因劝谏死于昏君的重刑之下才伟大。而历来谏官们也确实有些偏执，不管大事小事，有无必要，一定要反复进谏，甚至上纲上线，千方百计把皇帝激怒

唐彩绘侍女俑

了，一顿毒打然后流放蛮荒。其虽遭一时痛苦，却得了一世美名，足可享用终生，甚至名垂千古，倒也是一本万利的好买卖。记得《红楼梦》里的贾宝玉就曾讥斥这种行为是"沽名卖直"，虽是小孩子的话，倒也切中其弊。

阳城其实也确实是在做一笔大的投机买卖,当时朝廷有许多事都值得上书劝谏,阳城却认为这些事价值不大,不值得一做,万一因此小事惹怒了皇上,把自己贬官外放,得不到多大的名声,却把老本都赔光了。

待到陆贽的事出来后,满朝文武无人敢救,阳城却看好这桩买卖,便孤注一掷,赌上一把,果然一出手便博得个满堂彩。

至于阻止裴延龄入相一事,阳城已有了足够的本钱——传扬天下的正是名声,此时就没有赌博的风险了,不过是顺势操盘运作,早已胜券在握。因为德宗尽管昏聩,却爱惜名声,决不会让自己背上杀直臣的恶名,所以阳城才敢公开宣言要撕毁任命诏书。

无论阳城真实用心究竟何在,其眼光堪称独到,手法更是高妙。

晦非恒有,须养而后成。善养者其利久远,不善养者祸在目前。

"晦"这种状态不是随时都有的,有时需要"养"才能成。善于养晦的人能得到长远的利益,不善于养晦的人,大祸就在眼前。

【事典】不善养晦的谢晦

宋高祖刘裕临终前,任命司空徐羡之、中书令傅亮、领军将军谢晦、镇北将军檀道济为顾命大臣,辅佐太子刘义符。

刘义符即位后,却亲近左右小人,游戏无度,不是在宫中操练兵马,便是在皇家花园华林园中设立市场,与左右侍臣和嫔妃假扮商贩和行人,自己亲自做起小买卖。

大臣多次上书劝谏,这位少年天子却置若罔闻,我行我素。于是,谢晦、徐羡之和傅亮便暗中密谋把新帝废掉,另立明君,又找来镇北将军檀道济一同商量。

四位顾命大臣意见一致,并且掌握内外军权,便领兵进入皇宫,将新帝捉住。他们以太后的名义下诏,宣布新帝的罪过,把他废为营阳王,另立宜都王刘义隆为帝。

谢晦、徐羡之等人觉得留着营阳王终究是个后患,便派人把营阳王杀害,又把平日看不顺眼的庐陵王刘义真也杀了。

刘义隆即位,也就是宋文帝。谢晦等人虽然认为自己废昏立明是为了江山社稷,但也担心文帝会为兄弟报仇,便让徐羡之、傅亮在朝中执掌朝政,自己和檀道济手握重兵居守外镇。这样即使有事,也足可置朝廷于死地。布置停当,谢晦便出镇荆州,檀道济出镇广陵。

文帝即位初期,表面上仍尊崇谢晦四人,进官加爵,等到掌握京师禁卫军后,便开始策划除去这几人了。

他注意到檀道济一开始并未参与谢晦的废立阴谋,便找来檀道济和他一同商议讨伐谢晦。檀道济果然从命,并主动请命讨伐谢晦。

宋文帝便派禁军逮捕徐羡之、傅亮以及谢晦在京师的家属,下诏宣布三人杀害营阳王、庐陵王罪恶,派大军讨伐谢晦。

谢晦知道后,便发兵造反。他开始时并未把朝廷的军队放在眼里,自以为谋略当世无双,指挥才能也无人可比,自己又居长江上游,顺流而下,夺取京城不过指日间事,到时不过再另立一个皇帝而已。

两军相接,谢晦才知道是檀道济领兵攻打自己,心理防线一下子便被突破了。况且檀道济是当时最善于打仗的将领,威震敌国,谢晦面对这样的对手,真的是彷徨无策。

谢晦的军队被檀道济打得溃不成军,谢晦本人被生擒,送到京师斩首,家中男子也都同时被斩于刑场,而徐羡之、傅亮及家人早已被文帝诛杀了。

释评

古语说:"伴君如伴虎。"那么废昏立明就实实在在是骑在一头疯虎上了,欲行不得,欲下不能,其结果不外有三种:一是杀死疯虎,自己便可安全,也就是改朝换代。二是听天由命,任凭疯虎跳跃,如果侥幸不死,还可逃过大劫,也就是放弃一切权力,把头送进虎口中,看起来凶险无比,实际上却是最好的办法,陈平、周勃就是如此。第三种就是拼命驾驭疯虎,以力相抗,好的可以自保终身,却贻祸子孙,如霍光;稍差些的便要葬身虎口了,如谢晦。

废昏立明最早的例子是商朝的伊尹,当时的君主太甲昏庸无道,伊尹便把他废黜,流放远方,自己管理国家。三年后太甲洗心革面,改恶从善,伊尹又把他接回来,请他继续当君主。伊尹的事例既为后人赞美,也成为废昏立明的标准典范,可惜后世却无人能及,因为伊尹能始终握牢大权。

历来昏庸无道的君主多,可大臣们勇于废昏立明的并不多,倒是改朝换代的多。然而,能够改朝换代,需要的因素是多方面的,所以尝试的人多,成功的也不多。

刘宋高髻女俑

中国的长命王朝很多,西汉、大唐、赵宋乃至明清,都有两三百年的历史,其间岂无昏君虐主,而大臣有权势的也不乏其人,却少有人敢于废昏立明。这些大臣自然也知道一个好的君主对国家、对百姓的意义,却不敢去做,甚至不敢去想,原因无他,只因此事过于凶险,而且怎样做也难以保全自身，还要背上犯上的恶名。

　　东汉灵帝昏庸，宦官乱政，大将皇甫嵩因讨伐黄巾军，手握天下重兵，有人劝他率兵进京，诛除宦官，废昏立明，可以立万世不拔之功。皇甫嵩却不敢，他也知道自己翻手之间就可做到，却怕背负骂名，宁可自己有功得不到赏赐，甚至被宦官诬陷，被免职为民，也绝不做这种事，就是要保持自己忠贞的臣子之节。

　　霍光废昌邑王而立汉宣帝，开辟了西汉中兴之路。霍光胆大心细，终身掌握内外大权，宣帝看到他就吓得心里发毛，肌肤战栗，然而霍光刚死，宣帝就把他家抄杀得一干二净，连怀抱中的婴儿都不放过。

　　两相比较，就可以发现皇甫嵩不是胆小，而是英明。

　　西汉陈平、周勃合谋，诛杀吕产、吕禄，恢复刘室江山，也是怕皇帝过后报复，便把皇帝废黜，另立文帝。汉文帝继位后，二人把所有权力交还给皇帝，不但终身无事，而且世世富贵。周勃曾被人诬告"谋反"下狱，薄太后气得拿枕头打汉文帝，骂道："周勃当时手握天子符玺，将百万兵，那时候不反，现在还会造反吗？"文帝顿时省悟，向太后谢罪，第二天便释放了周勃。

　　谢晦的废昏立明和霍光、陈平、周勃的用意一样，不是为了自己——因为四人已掌握朝权，位极人臣，而他是为了不负刘裕所托，安定江山社稷。

　　出发点虽对，方法却不对，首先不该废帝之后又加杀害，杀人有时并不能显示自己的权威，反而是种心虚无能的表现。至于无故杀庐陵王，更只能给自己增加罪名。后来宋文帝诛除徐羡之、傅亮，讨

南朝青瓷蟾蜍

伐谢晦,罪名就是弑上杀王。

如果仅仅废黜刘义符而立宋文帝,他们的命运应该会被改写。宋文帝本来是一藩王,能凭空登上九五之尊,对几人也未必不心存感激,但杀了人家的亲兄弟却想让人不记恨、不报复,是根本不可能的。

当然宋文帝决意除去谢晦的主要原因还不在此,更重要的原因是不能容忍臣子有可以轻易废黜皇帝的强权。

所以谢晦废昏立明后,最明智的做法就是养晦,既不杀营阳王,也不眷恋权势,而是放弃一切权位,回家闭门不出,以此表白自己的忠心。宋文帝既得帝位,又无威胁,也不会无端加害,反而会施以厚恩,何患之有?

谢晦不学陈平、周勃的谦逊,却要学霍光的强横,又本末倒置,不掌握京师禁军,把皇帝控制在手心之中,反而出守外镇,自以为居上流,握强兵,可以控制朝廷,却不知心腹已失,得到的不过是枝干而已。既要以武力胁迫朝廷,却不识轻重缓急,想不败是不可能的。

谢晦少年时就跟随刘裕南征北伐,刘裕一生用兵打仗的计谋几乎都是谢晦所出,也是陈平、张良一流的人物。然而陈平、张良只出计谋,从不带兵,这是因为谋士之才和大将之才是不同的。

谢晦有谋却无勇,自以为刘裕能得天

南朝青釉莲花盖尊

下,自己的功劳最大,行军布阵,指挥众将也无人可及,便决心起兵造反,然而,一遇到檀道济,便百谋无用,一触即溃,身死家灭。

谢晦和徐羡之、傅亮三人以自己和家人的鲜血染红帝座,废昏主,立明君,开辟了元嘉盛世,对国家和百姓是幸事,对三人而言,值不值得就是很难说的事了。

原文

晦亦非难养也，琴书小技，典故经传，善用之则俱为利器。

译文

"晦"也并非是很难养的，小到弹琴、书法这些雕虫小技，大到经书典籍传世巨著，只要善于利用，都可以成为养晦的有利工具。

【事典】朱权以琴书避祸

宁王朱权是明太祖朱元璋的第十七个儿子，洪武二十四年（1391年）被封为宁王，王府设在大宁。

宁王有兵甲八万，战车六万，战士都骁勇善战，部下所属朵颜三卫都是明初降附的蒙古部落，作战更为勇猛。宁王也很有谋略，和燕王朱棣都是实力雄厚的藩王，因为驻守边塞，防御外族入侵，所以又被称为"塞王"。

朱棣起兵，建文帝害怕宁王和朱棣会合一处，便征召宁王入京。宁王怕进京被废为庶人，托病不行，意存观望，因此被削除三护卫亲军。然而三卫虽削，兵马依然驻留大宁城中。

朱棣初起兵时，兵微将寡，又怕宁王从后抄袭自己的老窝北平，便以诈谋进入大宁城中，挟持宁王，兼并了他的八万精兵，又用重金厚赂买通朵颜三卫的首领，为自己反抗朝廷效力。

朱棣得到大宁兵马和朵颜三卫的援助，如虎添翼，后来终于能夺天下，便是奠基于此。

宁王本来想坐观成败，没料到身落人手，家人子女也都落入朱棣手中。朱棣许诺一旦夺得天下，便和他平分之，兄弟二人各帝一方，宁王得此重诺，便全心为朱棣效力。

朱棣得帝位后，却全然不提中分天下、各自为帝的事，其他被建文帝废黜的亲王如周王、代王也都恢复王爵，发还护卫，宁王却被羁留京师，连封国都没有了。

宁王不但不敢提中分天下的事，连回大宁故藩的请求都不敢提。他知道自己遭朱棣猜忌，处境危险，便上书请求把苏州封给自己。

朱棣对他说："苏州在京师境内，又是国家财赋的主要来源，我不是吝惜，而是国家制度不允许把它封给亲王。"

宁王又请求把杭州封给自己。

朱棣说："当时皇帝要把杭州封给五弟，后来考虑不妥，没有封。允炆无道，把它封给自己的弟弟，也没封成。看来此地不适宜封王，建宁、重庆、荆州、东昌都是好地方，你自己选一处吧。"

宁王知道朱棣还是对自己不放心，后来便选了南昌这个富庶的地方，朱棣倒是爽爽快快地答应了。

宁王到南昌后，按规矩是应该国家出钱给修建王府，朱棣却下旨让宁王以布政使衙门为王府，房上的屋瓦和建筑格局也不许改成王府制，表面上是说国家财政困难，一时拿不出钱来，实际上是要用等级上的差别挫辱宁王。

宁王到南昌后不久，便有人密告朝廷，说宁王用巫蛊妖术镇魇皇上，而且出语诽谤朝政，朱棣派人查问，却无凭据。

宁王虽未遇祸，却也吓了个半死。他干脆老实到底，自己构筑了一处精舍，每天在里面读书弹琴，吟啸自若，所往来的也都是文人学士，吟诗作赋，探

朱 权

明太祖朱元璋第十七子，封宁王。朱棣迫其结伙，恃"靖难"之变有功，颇骄恣。年二十五，改封南昌。与四十三代天师张宇初友善，拜之为师，研习道典，弘扬道教义理。

镜 鉴

对受居上者猜忌的人来说，"韬晦"是一种臣服的态度。

求古经义理。

朱棣见他如此识趣,这才放下心来。宁王得以始终无恙,一直到明英宗正统十三年(1448年)才去世。

释评

朱棣虽以藩王而得天下,却认为是天命,对各亲王的防范也不是很严。他认为以区区三护卫万人左右的兵力起兵争天下,不过是以卵击石,毫不足畏,所以当时周王、代王、谷王都被发还三支护卫亲军。

然而朱棣唯独对宁王猜忌防范,只是因为宁王有带兵打仗的经验,又有谋略,旧时部属也有很多,倘若一有机会,建立旗号,难保不会有人响应,这样一来必然会造成大的麻烦。

所以朱棣把宁王改封到南昌,在当时而言也算是穷乡僻壤了,民风也不剽悍,既不发给三支护卫亲军,又不给修王府,就是要给宁王一点颜色看。

宁王看透了朱棣的用心,所以千方百计要避开祸患,他索性连布政使官府也不住,自己盖所房子,只与琴书为伴,吟咏情兴,优游卒岁,表示自己对世事已无所萦心。

明代白釉褐彩开光人物纹鸡腿罐

应该说朱棣对宁王的防范压制不是没有道理的,宁王未必没有反心,所以朱棣一点机会也不留给他,宁王养晦避祸也是迫不得已的事。

后来宁王的后代朱宸濠贿赂刘瑾、钱宁等人,得以恢复三支护卫亲军,便以护卫亲军为基础,发兵反叛,如果没有王守仁,武宗的天下几乎不保。

原文

醇酒醉乡，山水烟霞，尤为养晦之鼎炉。

译文

美酒和醉乡、山水烟霞，更是养晦最好的鼎炉。

【事典】韩世忠口不言兵

岳飞和韩世忠、张浚都是宋高宗时的抗金名将，高宗因怕这些名将建立的功业太大，以后难以管制，所以急于和大金议和。因众将抗金意志坚决，而且在战场上节节胜利，大金在军事上抵御不住岳飞、韩世忠，便在外交上向宋高宗施加压力，说大宋议和没有诚意。

宋高宗听信秦桧的奸计，解除了三人的军权，任命张浚、韩世忠为枢密使，岳飞为枢密副使，用职务上的升迁使三人脱离军队。

后来秦桧因岳飞多次阻挠他与大金议和的奸计，又屡次出言攻击他，心中怨恨，便罗织罪名把岳飞逮捕入狱，害死于风波亭。

韩世忠和岳飞的私人关系并不是很好，两人还曾因军队的分配问题发生过重大分歧。岳飞成名在韩世忠之后，后来的声誉却超过韩世忠，韩世忠也难免有所嫉妒。

然而当他听到岳飞被秦桧害死的消息后，忠义奋发，明知触怒秦桧，自己很可能做岳飞第二，依然按捺不住，当面质问秦桧，岳飞所犯究竟何罪。

秦桧无言以对，支支吾吾说：

"岳飞的儿子岳云给部将张宪写信，让张宪要求朝廷派岳飞回军中，话虽不明白，这事件莫须有。"

"莫须有"是当时的口语"也许有吧"的意思。

韩世忠大怒，厉声说道：

"仅凭'莫须有'三字,何以服天下人心。"

说完,韩世宗拂袖而去。

岳飞死后,韩世忠知道自己也难容于秦桧,便连章请求解除枢密使的职务,秦桧便授他一个闲散的官职。

韩世忠赋闲之后,口不言兵,每天骑驴携酒,泛游西湖,许多人都不知道这是名震天下的韩元帅。

韩世忠的部将旧属路过杭州时,都来拜访老帅,韩世宗却拒而不见,平时更不和军中大将互通消息,以免被秦桧罗织罪名。

秦桧害死岳飞后,对韩世忠也是恨之入骨,恨不能对他也如法炮制。然而他没想到害死岳飞激起的民愤会如此之大,自己也感到很害怕,又见韩世忠口不言兵,且和军队断绝往来,也不再出言阻挠自己与大金议和的奸计,既无威胁也无妨碍,便放过了他。

释评

若论中国古代奸人中最可恨的,不是桀、纣,也不是曹操、王莽,而是秦桧,不是因为他做的坏事比别人都多,而是因为他害死了岳飞,仅此一条就是够他遗臭万年的了。

当岳飞下狱时,只有韩世忠一个人敢于当面斥责秦桧,何其勇也;后来他坚决辞去枢密使的要职,闲居西湖,骑驴饮酒,观赏风景,口不言兵,与部属也绝无往来,又何其智也。

秦桧一生害死的忠臣良将难计

韩世忠

　　南宋名将。胸怀韬略,治军威严,在抵抗金兵南侵中屡有战功,是南宋著名主战派将领。然生性爽直,得罪权奸,遂解职在家,忧郁而终。

镜 鉴

　　退隐乡间而入世,不如云游出世而全身。

其数，岳飞冤死风波亭，宰相赵鼎被逼绝食而亡，其他许多忠臣也都被秦桧以各种手段害死。韩世忠在秦桧淫威最炽时直挫其锋，后来却能寿终正寝，便得益于他的养晦功夫。

当然这也不是说岳飞不善养晦被秦桧害死就是不智，从古代历史中要想找出像岳飞这样大智大勇、大忠大义、聚文武全才于一身的人真还没几位。在他之前似乎只有关羽可比，然而关羽被神化了，其实毛病极多，单刚愎自用就使他难以被称为良将。他之所以能成为关王爷和包拯被称为包青天一样，是出于民间传说的渲染。后来大概只有明朝的于谦勉强可以和岳飞相比，虽才能功业有所不如，忠义为国、不顾自身利害的耿耿忠心却是一样。两人的庙都建在西湖边上，未必是偶然的巧合。

在进一步便以身殉国，退一步既不失忠义，又可保全自身的情形下，我们既赞美岳飞和于谦——因为他们的脑子里已被国家、民族、百姓利益填满了，没给自己的生死利害留一点位置，也很钦佩韩世忠的机智和谋略，正如我们赞美烈士，却不能苛求每一个战士都成为烈士一样。

原文

人所欲者，顺其情而与之；我所欲者，匿而掩之，然后始可遂我所欲。

译文

别人想要的东西，要顺着他的想法给予他。我所想要的，却要想办法掩藏起来，不让人知道自己的想法，然后才能得到自己想要的一切。

【事典】冯道的"老到"

冯道在后晋石敬瑭手下任宰相,因为石敬瑭为求得契丹出兵援助自己打败后唐,夺取天下,不仅割卢龙一道和雁门关以北地区为厚赂,而且自称臣、称儿。事定后,需要派一名重臣为礼仪使,到契丹为契丹主耶律德光和萧太后上尊号。石敬瑭心中的理想人选是冯道,但考虑到此行可能有去无回,所以难以启齿,便叫几名宰相商议决定。

捧着诏书的文书小吏一到中书省便哭出声来,因为自己的皇帝对外藩称儿、称臣实在是太屈辱了。

冯道正和几名同僚商议政务,见状大惊,待明白来意后,几名宰相都吓得面无人色,唯恐这桩既危险又屈辱的差事砸到自己头上。

冯道看出了大家的意思,也不说话,很镇静地在一张纸上写下"道去"两字,其他人看后既感到解脱,又替他难过,有人甚至当场落泪。

冯道出任礼仪使到了契丹后,契丹主对他很重视,本想亲自出迎,后因有人劝他"国君不应迎宰相"才作罢。

给契丹主和太后上过尊号后,冯道便被契丹主留下来为官。契丹族的风俗只赐给贵重大臣象牙笏,或在腊日赐牛头,有一样就是特殊宠幸,冯道却全得到了,他还吟诗道:

"牛头偏得赐,象笏更容持。"

契丹主知道后大为高兴,暗示要长期留他在契丹为官,冯道说:

"南朝为子,北朝为父,我在两朝做官,没有什么分别。"契丹主听了更是喜欢。

冯道把得到的赏赐都用来买木炭,对人说:

"北方寒冷,我年纪老了,难以忍受,不得不多做些准备。"

他摆出一副扎根契丹的架势。

契丹主开始唯恐留不住冯道,待见他如此,不仅不再怀疑他的忠诚,反而觉得自己的儿皇帝那里更需要这样忠诚有名望的大臣辅佐,便让冯道回石敬瑭那里。

冯道三次上表推辞,表称自己眷恋上国,不忍离去,契丹主一再催促强迫，冯道才显得百般不情愿地上道。

他先在驿馆中住了一个月，然后慢腾腾向回返，一路上到一个地方便停下来住宿，一点也不着急，契丹主派人查探后，愈加放心。冯道直走了两个月，才出了契丹国境。

冯道身边的人问他：

"我们能逃出虎口，返回家乡，恨不得身生双翅，您却走走停停，却是为何？"

冯道笑着说：

"急有什么用？我们如果走快了，契丹用快马一天就可以把我们追回去。我们走得慢，他们难以觉察我们的心意，这样才能安全返回。"

左右的人听后，都恍然大悟，钦佩不已。

释评

冯道似乎已是"小人"的代名词了，然而君子身上往往也会有令人难以容忍的缺点，有些小人的身上也不乏闪光点，这是由人的多样性和复杂性所决定的，难以一概而论。

抛开道德的因素，冯道还是一位很有计谋、手法老到的人。

冯道早年便负重名。他为父亲守孝在家时，契丹主就想派兵把他劫持到契丹做官，只是因为边防士兵及早发现了这一图谋，才没有得逞。礼仪使一职的最佳人选是冯道无疑，因为他既是南朝宰相之首，又素来受契丹重视。由他出任礼仪使，就不会出意外的纰漏，然而他一去不返也是必然的，所以石敬瑭不忍心开口，别的宰相会落泪，正是这个缘故。冯道却表现出"铁肩担道义"的风范，也许是因为他知道难以推开，索性应承下来。

冯道完成使命后，便绝口不提回南朝的事，契丹主要留他做官，他便欣然从命，而且装出一副陶陶然乐不思蜀的样子，多蓄木炭，似乎要在契丹安居乐业，老死此方了。

冯道自然也渴望回南朝老家，但身不由己，想也无用，索性听天由命，顺其自然，倒得到了回去的机会。

他上表推辞、行走缓慢更是老到的体现，所谓"欲速则不达"，慢走反而能回家，快了就要被捉回去。

在人们所熟知的通常道理下，其实还埋藏着更深的道理，更深的计谋，掌握了"它"的人才是真正有智谋的人，冯道可谓其一。

冯道是小人似乎是确切无疑的了，然而冯道历事四姓十主，始终身居宰辅高位，却不通贿赂，不仗势欺人害人，遇到后唐明宗这样的明君，也能尽心辅佐，屡进谏言。在有关国计民生的处理上，他也能尽心尽力，无论作为一个人还是一名官员，这都是值得肯定的。

古代把在朝为官比作女子嫁夫，要始终如一忠于君主，而不论这君主是否值得忠诚。冯道被视为小人就因为他屡次改事他主，如同寡妇多次改嫁一样。寡妇改嫁，至少是不守贞节；而官员易主，自然就是不守臣节了。

然而这一点在今天看来并不重要，在当时也不是奇怪现象，因为那时这样的人多不胜数，冯道另一点最受人诟病的地方是他奉事契丹。但是石敬瑭已经称"儿臣"了，"儿臣"的臣子又怎样保守气节？况且第一个向石敬瑭建议向契丹称臣、割让土地的是桑维翰，桑维翰却被视为有民族大义的君子，冯道不过奉行而已，反负恶名，也是从道理上很难说通的事。

冯道曾用诙言劝得契丹主不再无故残杀中原人，中原生灵因他一言之故存活下来许多，连最痛恨冯道的欧阳修也称"春秋之不灭中国人者，以道一言之力也"。如此看来，他即便是小人，也难以泯灭他拯救无数生灵的大功德。他还用自己的金钱赎回许多被契丹将士掳走的妇女，给她们钱让她们安全返家，又用自己的地位保护了许多被契丹捉住的大臣和名士，这也都是冯道身上的一道道亮点。

古人说："盖棺论定。"其实盖棺也很难论定，因为每个时代都有每个时代的道德标准，只能是"是非功过，任由后人评说"了。

原文

君子养晦，用发其光；小人养晦，冀逞凶顽。晦虽为一，秉心不同。

译文

君子养晦，是准备在适当的时机发挥自己的才智；小人养晦，却是准备以后发泄自己心中的怨毒。虽然都是养晦，出发点却是不一样的。

【事典】王振“养晦”成祸

王振原是名教书先生，后来见中举人、考进士跻身仕途以求显达的路太过漫长，实在艰难，便剑走偏锋，心头一狠，自行阉割，入宫当了一名宦官。

因为他读书识字，性格狡诈，又工于心计，善于揣摩别人的心思，很快便受到明宣宗的赏识，被派到东宫侍奉太子，也就是后来的明英宗。

明英宗年纪很小，王振原来就是个“孩子王”，他凭借自己的狡黠获得英宗的欢心，言无不听，计无不从，口称“先生”而不直呼王振的名字，表示自己对他的尊重。

明宣宗去世，英宗即位，王振便跃过金英等几名宣宗朝得宠的太监，执掌司礼监，这是宦官衙门里权力最大的部门。

明代永乐青花一束莲大盘

王振劝英宗要用严刑峻法制御大臣，不然大臣们会因为皇帝年轻而加以轻视，英宗觉得很有道理，却不知这正是赵高当年愚弄秦二世的方法。

明仁宗、宣宗两朝，大明王朝达到了政治经济文化各方面的顶峰，政治宽松而不松弛，民风淳朴，人心向善，是历史上少有的太平盛世。

在王振的严刑之下，许多大臣陆续入狱。不过当时英宗的祖母太皇太后张氏还在，宣宗遗诏里也写明：国家重要事务要请太后决断。内阁中大学士杨士奇、杨荣、杨溥号称"三杨"，都是历事永乐、洪熙、宣德、正统四朝的元老重臣，王振对他们也很忌惮，所以还不敢太过放肆。

贤明的太皇太后却觉察出王振的不轨行为，她觉得此风断不可长，便请"三杨"入宫，又把英宗和王振都叫来。

王振一进殿门，没等向太皇太后叩拜请安，几名女官已上前按住他，抽刀搁在他脖子上，只等太皇太后一声令下，便叫他人头落地。

英宗和"三杨"都不明所以，王振更是吓得魂飞九天，只管叩头乞命。

太皇太后宣布王振干预朝政、蛊惑皇帝的罪状，并说：

"太祖高皇帝定制：内臣不得干预政事，违者斩。今天就是执行律法的时候。"

英宗忙上前跪倒，苦苦求情，"三杨"见状，也只好跪下，帮皇上说话。太皇太后虽想除去王振，但"三杨"的面子不能不给，便严厉训诫王振一顿，饶了他一命。

王振逃过一劫，总算知道权力在谁手中了，他也彻底老实下来，再不敢给英宗出坏主意了。

明代景德镇窑法华彩罐

他执掌司礼监，经常要到内阁办事，每次都站在内阁门外，"三杨"请他到阁内坐着喝杯茶，他也坚决不肯，说国家政务要地，不是他这样的内臣能进的。关于国家政务，他更是一个字也不敢提及。

"三杨"见他如此谦恭谨慎,还以为原先看错了他,对他的印象也好转过来。太皇太后经常派女官到内阁打听王振是否干预政事,"三杨"都回说没有,对王振还赞誉有加,太皇太后听后也就放心了。

明英宗正统七年(1442年),太皇太后去世。内阁中杨荣已死,杨士奇因儿子杀人获死刑而闭门不出;杨溥年老多病,也很少到内阁来;新入阁的几位大学士声望不高,难以和王振抗衡。

王振见时机已到,便把蕴藏心中的怨毒一气发泄出来。他先是摘下了朱元璋在宫门立的禁止宦官干预政事的铁牌,然后一手把持朝政,至于他所做的坏事,难以一一表述,只能用无恶不作来概括,大体宦官专权都是如此。

王振权力、地位、财富都达到极点,居然又想用立边功来给自己青史留名。恰值瓦剌入寇,王振便诱导英宗御驾亲征。他根本不懂军事,又听不进别人的劝谏,全凭自己的喜好指挥大军,结果在土木堡一战中,断送了明朝五十万大军,他也被愤怒的士兵杀死,英宗被瓦剌俘虏,史称"土木之难"。

释评

从明英宗正统七年(1442年)太皇太后去世到正统十四年(1449年)土木堡之变,王振专权祸国仅仅七年。然而就在这七年里,他给大明王朝造成的创伤却是难以估量的,大明王朝也从此由强盛转为衰弱,这一切都是因王振一人之故。

小人不仅懂得养晦,而且往往更擅长此道。君子养晦,还要顾重自己的身份面子、道德规范。小人则无所顾虑,凡是可以保护自己、伪装自己的法宝都可以祭出,因为他只要达到得志得势,根本不顾恤人言。所以君子养晦往往只在一时,小人养晦则无时无处不在。当然小人养晦正确的说法应该是"伪装",但从表面特征上来看,两者并无不同。

原文

至若美人遭嫉，英雄多难，非养晦何以存身？

译文

至于漂亮的女子经常遭到嫉妒，英雄豪杰往往多灾多难，在灾难临头时，不养晦怎能保存住自己？

【事典】马援养马避祸

西汉末年，王莽篡汉，天下大乱，群雄并起。刘秀占据河北，公孙述占据四川，隗嚣占据陇西，群雄中以此三人势力最强。

隗嚣素闻马援之名，聘任马援为绥德将军，视为腹心，凡事都和他商量，一同决策。

刘秀和公孙述先后分别在洛阳、成都建立帝号。隗嚣自料力量不足，便想依附一方以成功业。他和马援商议，派马援去查探两帝虚实，以便决定依附哪一方。

马援临行时，隗嚣授予他全权，说："你看这两人哪一位能成大业，就可以代我决定依附哪一方。我信任你的眼光，完全听你的决定。"

马援和公孙述从小住在一条街巷里，交情也很好，便率领宾客先到了

马 援

东汉著名军事家。能征善战，功绩卓著，汉光武帝时，拜为伏波将军，封新息侯，世称"马伏波"。

镜 鉴

局势不清，不可冒进，远观其变，道路自现。

成都。

隗嚣的实力较刘秀、公孙述稍弱，却也成鼎足之势，无论依附谁都有举足轻重的作用，所以刘秀和公孙述都极力拉拢隗嚣。

马援作为隗嚣的全权大使，又是公孙述的故交，公孙述自然极为重视。他本想亲自出城迎接马援，但手下大臣却劝阻说：

"陛下今已是天子，应该有天子的尊严与气派，这才能使远近的人都闻风而服。马将军虽是陛下的朋友，也不能因私交而废朝廷尊严，从古至今，没有天子出迎使臣的道理。"

公孙述听了觉得很对，便派一名重臣出城迎接，晚上在馆舍招待，也极为丰盛热情。第二天，公孙述排出天子的全副仪仗，两旁卫士执戟夹道站立，又派迎客的司仪一站站传呼马援的名字，引导他到宫中觐见。

公孙述为了显示天子尊严，也不和马援欢叙旧情故交，反而装出满脸的庄重，摆足了帝王的架子。马援感到受了侮辱，口虽不言，心里已经瞧不起公孙述了。

公孙述转而又为马援和他的手下制作新衣，然后在宗庙中大会百官，专为马援立了旧交的位置，以丰盛的宴席款待马援和官属，并封马援为侯，授予大将军的要职。

东汉鎏金大将军印

马援的手下见公孙述的气势盛大，招待又极尽丰盛，给的官爵也高出想象，都喜出望外，劝马援留在成都。

马援却头脑清醒地说："现在天下谁胜谁负尚未可知，公孙述不学周公，握发吐哺走迎国士，和天下贤豪共图大业，反而故作神圣，跟木偶似的，这样的人怎能留得住天下俊贤？"

马援给隗嚣写信说："公孙述不过是井底的青蛙，妄自尊大，不如专心注意洛阳。"

建武四年（28年）冬天，马援带着隗嚣的亲笔信又来到洛阳。刘秀听说后,便请他到宫中相见。

刘秀只派了一个宦官把马援请到宣德殿,自己穿着便服,戴一顶头巾,身旁连一名卫士都没有。

马援一到,刘秀便走上前笑着迎接,谦虚地说:"卿遨游二帝之间,现在见到卿,令人自惭形秽。"

马援才高智富,眼光更是独到,一见刘秀,大为心折,说:"当今之世,不仅君主选择大臣,臣子也要选择君主,臣从远方来,陛下怎知臣不是刺客,却毫无防备?"

刘秀大笑道:"卿不是刺客,而是说客。"

马援佩服地说:"天下大乱,群雄并起,都以帝王自尊,如今见到陛下,恢弘大度,和汉高祖一样,才知道帝王自有帝王的风度。"

刘秀听了马援的话,也很高兴,便任命马援为待诏,派太中大夫来歙送马援回隗嚣那里。

马援力劝隗嚣依附刘秀,隗嚣素来信服马援,便派儿子到洛阳做人质,决意依附刘秀。马援便带着家属宾客与隗嚣的儿子一同来到洛阳。

不久,隗嚣又听信部将王元的话,凭仗自己险固的地势拥兵自守,坐观天下成败,又背叛了刘秀。

马援知道后多次给隗嚣写信劝说,隗嚣认为马援贪图富贵,出卖了自己,更为愤怒。作为隗嚣的使臣马援在洛阳备受猜疑,又和隗嚣断交,竟然进退不得,处境尴尬之至。

马援带领的宾客很多,都靠他一人养活,马援的薪水本来就不高,如今因形势变化,遭朝廷猜疑冷落,便上书要求拨给一块空地,自己率宾客去养马为生。

刘秀对马援仍很看重,但也无法重用他,便拨给他上林苑,让他去养马。

后来隗嚣公开发兵反叛刘秀,刘秀经过长时间观察,确认马援对自己忠心不二,便招马援进宫,向他征询讨伐隗嚣的计谋。马援为刘秀尽心谋划,刘秀大喜,便派他率五千精兵去游说隗嚣的部将,离间隗嚣上下之间的关系,马援这才真正加入到刘秀的阵营中,走出困境。

建武八年(32 年),刘秀亲征隗嚣,被隗嚣重兵拦阻。大将们都认为地形不熟,敌人的兵力虚实也无法知道,贸然进攻危险太大,刘秀不甘心无功而返,犹豫不决。恰好马援赶到军中,刘秀大喜,马上把他叫来,把大将们认为不能进军的种种理由告诉他。

马援便在刘秀面前用米堆成山川地图,为刘秀演示各军从哪条路进军,敌人虚实如何。马援分析得一清二楚,并断言进军必胜。

刘秀一击掌道:"敌人已在我眼中了。"第二天早晨便下令总攻,隗嚣的军队一触即溃。

释评

汉高祖刘邦说:"子房论兵,每与我合。"光武帝刘秀也说:"伏波(马援后任伏波将军)论兵,与我意合。"若论谋略,马援并不逊于张良,可惜出身不正,开始时站错了队伍,以致空负一身才学,未能及早得到发挥,以致功业迁延,遂成憾事。

假使马援开始时便投身刘秀麾下,绝不会让张良专美于西汉。张良虽多谋略,却不能带兵打仗,马援的将才即使在西汉的功臣猛将中也是第一流的,纵然比不上韩信,也足可与绛灌同伍,功名世业当在后汉功臣首位。

秦琼卖马,马援养马,英雄每多遭难。当隗嚣决策投向刘秀又中途背叛后,马援的处境既尴尬又危险,更不用说穷困交加了。稍有不慎,便会被当成间谍处死,即便不被当做间谍,马援本是和隗嚣的儿子一同到洛阳做人质的,隗嚣反叛,刘秀斩杀人质也是理所必然。

马援养马一方面养晦保身,另一方面也是穷困所迫,但也还有更深的寓意:一是宁愿在洛阳做养马这样下贱的事,也不回隗嚣那里做高官,享厚禄,自可表明对刘秀的忠诚;二是这样可以与世隔绝,避免了刺探朝廷虚实、充当间谍的嫌疑,正是一举多得。

马援是真正的智者,隗嚣视他为知己,公孙述虽表面摆架子,却也很念旧情,封他为侯,并授予大将军之职。马援和这两人共事,都可以位极人臣,享尽富贵。马援却认定了素无往来的刘秀,后来刘秀终于一统山河,验证了马援的鉴识。

马援有许多名言警句传诸后世,如"老当益壮,穷且益坚","大丈夫当战死沙场,以马革裹尸还","君择臣、臣亦择君","画虎不成反类犬"等等,千百年来被人们广为传诵。

原文

愚者人嗤,我则悦安,心非悦愚,悦其晦也。

译文

愚蠢是众人所嘲笑的,我则乐于承受并心安理得,我也不是真心喜欢愚蠢,而是喜欢这种"晦"的谋略。

【事典】不识北斗的和安

东魏孝静帝时,和安在宫中侍奉孝静帝。他恭敬小心,脑筋灵活,善于逢迎别人的意思,很得孝静帝的喜欢。

一天深夜,孝静帝在宫中和几位有学问的大臣研究天文,便让和安出去看看北斗的斗柄指向何方。

和安出去转了一圈,回来后吞吞吐吐地说:"陛下恕罪,微臣不识北斗。"

孝静帝和几位大臣听了,既感到吃惊,又为他的无知感到脸红。和安却面色坦然,毫无愧疚之感。

当时掌权的丞相高欢听说后,却认为和安淳朴厚道,遂任命他为仪州刺史。

◈ **释评** ◈

北斗七星是所有星座中最耀眼也最易辨认的,稍有学识的人都会知道,和安却不知道,无怪乎孝静帝要为他感到脸红了。

然而身为中书舍人的和安并未无知到这种地步,否则他也当不上中书舍人。和安既不是无知,也不是淳朴,而是狡诈。

当时朝廷大权握在丞相高欢手中,孝静帝不过是个傀儡而已。而古人认为天象对应着人事,从天象的变化便可查知人事的变迁,所以一般人研究天文,妄谈休咎都是触犯忌讳的。

孝静帝和大臣闲着没事,研究天文自娱,也算不上大事,但权臣高欢却认为此举大有深意,说不定是借北斗斗柄所指的方向暗示大臣们要尊主权、废臣权,因为在古代的天文学中,北斗代表着丞相这个位置。

当然孝静帝未必有此意,和安却马上想到更深一层,知道此举触犯高欢忌讳,宁可背上无知的恶名,也不能陷进去。果然,和安不但无事,反而升官。这哪里是无知,而是巧智。

原文

愚如不足,则加以颠。既愚且颠,谁谓我贤? 养晦之功,妙到毫巅。

译文

如果仅愚蠢还不足以迷惑对手,就再加以疯癫。既愚蠢,又疯疯癫癫,谁还能认为我贤明呢? 这就达到了养晦功夫的顶端了。

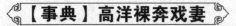

【事典】高洋裸奔戏妻

东魏因内乱,大权落入权臣高欢手中,高欢死后,又把权力如同皇位一样传给儿子高澄。高澄为齐王、大将军,总揽文武大权,东魏孝静帝不过是个应名皇帝。

高澄父子都有篡魏自立的野心,只是时机不成熟而已。高澄并不在意孝静帝,倒很忌惮自己的弟弟太原公高洋。因为高洋从小就显露出不凡的才华,在朝野内外都有很高的声誉。高澄想像父亲一样把一切传给儿子,却怕自己死后,儿子幼小,权位会被高洋夺去,便有除去高洋之意。

高洋深感不安,只得谨言慎行,装愚作傻。见到高澄时,他只是唯唯诺诺,对高澄的意思无不顺从,仿佛是一个无主见的酒囊饭袋。

高澄逐渐地轻视他,还嘲笑说:"这样的人也能得富贵,相书上的道理真令人无法理解。"

高洋每天退朝回家,便关上房门自己一人独处,有时面对妻子竟然一整天一句话也没有。他为妻子李夫人买的衣服、首饰和玩物,高澄看到后,故意欺负他,把这些东西抢走。李夫人有时生气不给,高洋便说:"哥哥想要,为什么不给呢?"高澄有时也会感到不好意思,高洋便亲手塞给他,既无吝色,也没有勉强的意思。

高洋有时在家中无事,便脱光了衣服四处乱跑,李夫人又好笑又好气地

齐文宣帝

　　高洋,北齐开国皇帝。本是东魏权臣,于550年逼迫东魏孝静帝禅位,称帝时年仅二十岁。

镜　鉴

　　因贤能遭忌者,须自损形象以安人心。

问："你这是做什么？疯疯癫癫的。"

高洋说："我逗你开心，让你笑一笑。"

府中人便纷纷传说主人有疯癫病，实际上高洋是用这种方法来锻炼身体，增强体质。

高澄知道后，对手下人说："我原以为他不过是愚蠢而已，如今看来还是个疯子。"自此便解除了对高洋的戒备。

后来高澄和杨愔、崔季舒在密室中商讨篡魏自立之事，为避人耳目，便把侍卫都打发得远远的，结果却被他掳掠来的奴仆兰京杀害。

高洋闻变后立即赶到。他神色不变，指挥卫士平乱。众人听说高澄遇害，都惊慌失措，待见到高洋措置得当，有大将风度，才安下心来。

高洋代替高澄为齐王、大将军，后来篡魏自立，建立了北齐，为齐显祖。

释评

父子兄弟，骨肉亲情，出自人的天性，却只在平常人家庭中才能得到完全体现。而在皇室贵族和富贵人家中，却不仅薄而且往往会变成毒素，使人变成疯狗，互相蚕食不已。此无他，争"权"与"钱"而已。

父子之情浓于兄弟之情，这似乎也是由人的天性所决定的，好东西要留给儿子而不给兄弟，也是人之常情。而在皇家，这好东西就是"江山社稷"。利愈大，抢的人愈多，决心也愈大，这已经无法用亲情来说服，也无法用道德来规范，只能用最残忍也最保险的方法，先下手把对手除掉，这样儿子才能确保得到江山社稷。

高澄提防并想除去高洋，并不是因为他天性凉薄、生性如狼，而是这种必然性使然。这从后来高洋果然夺去了本该属于侄子的一切，就再一次验证了这种必然性。

一个人有才能并有很高的声望自然是好事，但在对手眼中就很可怕了，所以高洋先要装出愚蠢无能的样子。高澄无理抢夺他妻子李氏的东西，他也逆来顺受，装作无血性。他裸体跑步来锻炼身体，又得个疯疯癫癫名。

　　一个人既愚蠢又无血性，还疯疯癫癫，这样的人还有什么可怕的呢？然而世上最可怕的往往就是这种突然反常的人，因为反常的里面包藏一颗祸心！

若夫天时猝变，人事猝兴，养晦则难奏肤功，斯即谋晦之时也。

晦以谋成，益见功用，虽匪由正道，却不失于正，以其用心正也。谋晦当能忍，能忍人所不能忍，始成人所不能成之晦，而成人所不能成之功。

夫事有不可行而又势在必行，则假借行之势以明不可行之理，是行而不行矣。破敌谋、挫敌锋、勇武猛鸷，不如晦之为用。至若万马奔腾、千军围攻，我困孤城，勇既不敌，力不相侔，惟谋惟晦，可以全功。

晦者忌名也，以名近明，有亢上有悔之虞。负君子之重名，偶行小人之事，斯亦谋晦之道也。己所不欲，拂逆则伤人之情，不若引人入晦，同晦则同欲，无逆意之患矣。人欲无厌，拒之则害生，从之则损己，姑且损己从人，继而尽攘为己有。居众所必争之地，谋晦以全身，谋晦以建功，此又谋晦之大者也。

有谋方能有勇，有谋方能出奇，谋是所有成功者的通行证，无谋则是所有失败者的墓志铭。

晦非素有，则以谋成。

小事小节往往是大事大节的关键。

你能满足别人的需要，别人才会满足你的需要。

劝谏如同治病，对症下药才能收到预期效果。

权力永远是双刃剑，使用不当便会自受其害。

【谋晦卷第四(上)】

原文

若夫天时突变,人事猝兴,养晦则难奏肤功,斯即谋晦之时也。

译文

如果形势发生了突然变化,意外的灾害也突然降临,养晦则在时间上来不及,也难以收到大的功效,这时就是使用谋略促成"晦"这种状态产生的时候了。

【事典】以屈求伸的温峤

晋元帝时,王敦起兵攻入京城,挟持元帝,专制朝政。

中书令温峤忠心晋室,不亲附王敦。王敦因为温峤是当世名士,名望很高,如果辅佐元帝和自己作对,也是件麻烦事,便请温峤为自己的左司马,想要巧借事端以军法杀之,既名正言顺,又不会有害贤的恶名。

温峤明知此职暗藏杀机,却苦于无法拒绝,否则抗命不遵也就成了罪名。他的亲戚朋友都为他担心,却也想不出好的办法。

温峤却坦然无畏,到王敦的大将军府任职。他表面上对王敦很恭敬,做事也很勤奋。他帮助王敦处理大将军府的事务,都很适宜,王敦想找杀他的事端,一时也找不到。

王敦宠信小人钱凤,对他言听计从。温峤便经常对人说:"钱世仪(钱凤的字)精神饱满。"温峤素来看人极准,有人才鉴定专家的美誉,当时人能得他一句评语,都引为殊荣,足可做一生定评。所以钱凤得到温峤一句赞语,喜不自胜,便把温峤当成知己,经常在王敦面前说温峤的好话。

王敦本就听信钱凤的话,又亲眼目睹温峤对自己恭敬,做事也勤奋,能有这样一位名士辅佐自己倒是意外之喜。于是王敦不但消除了杀心,对温峤也越来越信任。

温峤虽然安全了,却也知虎穴不是久留之地,常思谋如何才能安全脱身。恰好丹阳尹的官职空缺,温峤便对王敦说:

"丹阳尹控制国家的咽喉,大将军应该选择自己的人担任,如果皇上抢先用自己的人,恐怕对您不利。"

王敦连连点头称是,认为温峤是真心为自己考虑,便征询他的意见:"依你看派谁去最合适?"

温峤说:"依我看谁都不如钱凤。"

王敦又询问钱凤的意见,钱凤因为温峤夸赞自己一直很感激他,又听说他主动推荐自己出任要职,更是高兴,反而推荐温峤出任丹阳尹一职。

王敦也觉得温峤是名士,被众人所推服,出任丹阳尹比钱凤合适,便任命温峤为丹阳尹。温峤却苦苦推辞,说不愿离开大将军身边。他越是推辞,王敦越是觉得他忠诚可靠,非让他担任不可,温峤便装作十分委屈的模样接受了。

温峤要赴京师任职,王敦为了表示郑重,集合大将军府的僚属设宴为他

温 峤

　　字泰真,一作太真,东晋政治家。17岁出仕,初辅佐刘琨治理州事,政绩显著,后参与平息王敦和苏峻的两次叛乱,战功赫赫。卒赠侍中大将军,使持节,谥曰忠武。

镜 鉴

　　细微处把戏做足,则形势为之转变。

送行。

喝了一阵酒后，温峤起身为大家敬酒。敬到钱凤面前，钱凤还没来得及喝，温峤故意装出酒醉的模样，伸手把钱凤的头巾打落在地，怒声道："钱凤是什么人物？温太真（温峤的字）敬酒他居然敢不喝！"

钱凤没料到一向和自己亲密的温峤竟会突然当众羞辱自己，一时间神色愕然，说不出话来。王敦见状，忙出来打圆场，哈哈笑道："太真醉了，太真醉了。"

钱凤见温峤醉态可掬的样，又听了王敦的话，也没法发作，只得咽下这口恶气。

温峤临行前，又向王敦告别，苦苦推辞，不愿去赴任，王敦不许。温峤出门后又转回去，痛哭流涕，表示舍不得离开大将军，请他任命别的人。

王敦大为感动，只得好言劝慰，并且请温峤勉为其难。温峤出去后，又一次返回，还是不愿上路，王敦没办法，只好亲自把他送出门，看着他上车离去。

钱凤受了温峤一顿羞辱，头脑倒清醒过来，对王敦说："温峤素来和朝廷亲密，又和庾亮有很深的交情，怎会突然转向，其中一定有诈，还是把他追回来，另换别人出任丹阳尹吧。"

王敦已被温峤彻底感动了，根本听不进钱凤的话，不高兴地说："你这人气量也太窄了，太真昨天喝醉了酒，得罪了你，你怎么今天就进谗言加害他？"

钱凤有苦难言，也不敢深劝。

温峤安全返回京师后，便把在大将军府中获悉的王敦反叛的计划上报朝廷，并和庾亮共同谋划讨伐王敦的计划。

王敦这才知道上了温峤的大当，气得暴跳如雷，给王导写信说："太真和我分别才几日，便做这等恶事！我一定要悬赏雇人活捉他，亲手拔了他的舌头。"

然而无论王敦怎样咆哮，却已对温峤无可奈何了。

汉朝的飞将军李广一度曾被罢免职位,赋闲在家。一天,李广出外打猎回来晚了,被巡查的亭长叫住呵斥了一顿。李广记恨在心,觉得自己是虎落平阳被犬欺了。

不久匈奴大举入侵,李广又被起用,率兵出塞攻打匈奴。李广便用军令把那名亭长征召到自己军中,亭长一到军中,就被李广斩于剑下。

王敦要把温峤调入军府中加害,用的正是李广使用过的这种方法,盖因军中事务隐秘,大将又有专杀专诛之权,想要害死一个人真如捏死一只蚂蚁,易于行事又容易掩饰。

然而温峤毕竟非常人可比,他假做恭谨勤奋,转变王敦的杀意,又好语结交钱凤,虽然处身步步杀机之中,他却如履坦途,三下两下便把两人弄得如置身云端,陶陶然不辨东西,温峤却已如泰山之安。

温峤借在王敦府中任事之机,知道了他要反叛朝廷的详细计划,却苦于无法传递消息,丹阳尹一职空缺后,温峤一直等待的虎口脱身的时机便到了。

他先是劝王敦抢先在朝廷任命官员之前挑选自己最信任的人去担任,随后又力荐钱凤出任。他已算准自己一定是王敦心中最合适的人选,钱凤也一定会出于感激推荐自己。

东晋越窑窑变釉鸡首壶

得到任命,稍露欢喜之情便会被人窥知心迹,所以他又拼命力辞,既显得自己对此职毫无兴趣,又表示自己对王敦的依恋之情,用的正是"欲取先予"的手法。王敦也不是一般人,假如温峤欢欢喜喜、迫不及待地要离开自己,他也许会马上觉察出来。温峤越是推让,王敦越是觉得他没有异心,感情也拉近了一层,更觉得非温峤不行。两人如同拧一股绳子,越拧越紧,丹阳尹一职就已绑定在温峤身上了。

王敦在饯别温峤时,温峤故意装醉当众羞辱钱凤,这绝不是画蛇添足,而是险中求胜。王敦一向对钱凤言听计从,温峤怕自己上路后,钱凤说自己的坏话,甚至阻止自己赴任,那可就前功尽弃了。虽然只是一种可能,却不能不预先防范,把这种极端危险的可能消除于无形,这更显示出温峤计谋的深远和缜密。

"酒后无德"是常人都会有的失态,没人会去计较一个人酒醉后的言行。温峤便装醉羞辱钱凤,造成两人失和的假象。待到后来钱凤觉悟温峤有诈,果然向王敦劝谏时,王敦便认为他是记恨温峤无心的过失,大不以为然,一个字也听不进去。

温峤在临行前向王敦告别的一幕,真令人慨叹世界是大舞台,人生何处不成戏,搭戏台、穿戏装、涂抹小丑实属多余。

温峤的再三恳辞竟至痛哭流涕,不过是要坚定王敦让自己离去的决心。他在假哭,王敦大概已被感动得心中流泪了,钱凤的谗言不入和他能安然到达京师,与此有决定性的关系。

纵观温峤从身入虎口到安然脱身,真如高人弈棋,一步步看似平淡简易,却无不暗藏玄机,有时又大悖常棋,过后才

东晋瓯窑虎形灯座

知乃是棋道至理,一步步行来,把一盘已被将死的残局翻为完胜。非大智慧、大计谋者孰能如此?

原文

晦以谋成,益见功用,虽匪由正道,却不失于正,以其用心正也。

译文

"晦"用谋略来促成,更能收到大的功效,虽然有不走正道的嫌疑,在大义上却又不失为正,这是因为心中的本意是正直的缘故。

【事典】胡林翼巧走夫人路线

太平天国起义,胡林翼和曾国藩同建湘军,因战功卓著被任命为湖广巡抚。

朝廷猜忌汉族带兵将领,便任命满洲贵族官文为湖广总督,以制约胡林翼。

官文,字秀峰,是满洲正白旗人。他只是个标准的花花公子,因出身贵族而在宫中任头等侍卫,后因烽火遍地,被派出带兵。

官文虽任总督,却百无一能,而妒贤嫉能的本事倒还有一些。他知道朝廷对汉族将领既不得不用,又不敢重用;既希望将领早日立功平叛,又怕汉族将领势力过大,会把满族驱逐回东北这种左右为难的心理,所以对胡林翼左右掣肘,百般刁难。

胡林翼被官文弄得根本做不了事,有心要向朝廷告状,却也知道一个汉人巡抚和满族总督打官司,输赢不用想都能知道。这样一来,现状不会改变,反而更会增重朝廷对自己的疑心,所以胡林翼愁得一筹莫展。

官文私生活奢靡无度,手下又养了一批食客,耗费军饷很多。

胡林翼本来就难于筹到军饷,对此愈加觉得难以容忍,便和布政使阎敬铭商议,决心向朝廷摊牌,弹劾官文。

阎敬铭劝他说："从大清朝立国以来,从不让汉人将领单独执掌军权,现在满人、汉人将领并用,已属万不得已。巡抚弹劾总督,又是汉人弹劾满人,不胜已是必然的了。即便朝廷重视大人,撤回官文,也绝不会把湖北这块天下要冲之地让大人一人掌握,必会另派一满人来,后来的也未必比官文强,说不定更糟。官文不过是挥霍些金钱,每年送他十万也不算大事,大人还是忍耐吧。"

胡林翼思前想后,觉得阎布政使的话句句在理,只好强自忍耐。

这一天是官文最宠爱的四姨太的生日,四姨太喜好排场,非要请湖北的全体官员来为自己祝寿,官文便遍送请柬到巡抚、布政司、按察司各衙门,邀请大家赴宴。

大家接到总督的请柬,都觉得以朝廷官员之尊去给一个姨太太祝寿,有失体统,不去又于总督大人脸面上过不去,都来巡抚衙门请示胡林翼。

胡林翼厉声正色说道:"诸位都是堂堂的大清官员,却要去给一个小妾祝寿,你们即便不顾及自己的尊严,置朝廷体统颜面于何地?"

大家本来也是这种想法,又蒙巡抚大人一番大义相责,便都约定好不去赴宴。

官文在家中置办好了几十桌酒席,准备宴请省府的主要官员,然而到了下午,却不见一个人影。官文急忙派家人到各衙门去请,结果一个个都灰溜溜地回来,皆被以各种理由拒之门外,根本见不到各位大人。

官文心知肚明,却也没办法,这种事情毕竟不能用总督的行政命令。四姨太知道了,觉得大损颜面,又哭又闹,骂官文没本事,没人缘,还要寻死上吊的。

官文被她闹得恨不得自己先死了,正在不可开交处,门房却来报巡抚大人的轿子到了,用的是全职衔名帖,又送给四姨太一份昂贵的寿礼。

四姨太先是要死要活,一听说巡抚大人亲自登门祝寿,又是喜从天降,有巡抚大人拜寿,这脸面可是贴金了,忙催官文出迎。

官文自知和胡林翼关系不睦,请人时也没想到他会来,当时全省的官员一个不见,倒是没想到的来了,既给足了面子,又给自己解了围,心里这份感激无言可喻。

胡林翼满面春风，为总督大人道喜，官文也极尽热情。两人饮酒没多时，胡林翼的母亲和妻子又乘轿而至，为四姨太祝寿。

官文和四姨太更是喜加上喜，轿子直接抬入内宅，四姨太亲自为胡母倒酒。胡林翼的母亲和妻子在席上夸赞四姨太美貌、聪明、贤惠，又有才，把四姨太夸得飘上天了。

四姨太虽受官文宠爱，却是偏房，地位不高，家世也很贫贱，所以常有自卑感，看胡母慈祥高贵，又极为疼爱自己，便在席间请求认胡母为母亲。

胡母马上答应，还派人取来礼物送给刚认的女儿。

四姨太这一天先是受尽了冷落，随后又喜事接连，她索性把官文和胡林翼都请进来，当堂认胡林翼为哥哥，官文也极力赞同。

这以后不是胡林翼的母亲和妻子进总督衙门看望四姨太，就是四姨太进巡抚衙门看望胡母，两家内眷天天往来不断，四姨太称呼胡林翼也是哥哥不离口，如同一家人一样。

官文和胡林翼的关系也一下子由水火之势变成了水乳交融，官文不但不再难为胡林翼，反而事事都听胡林翼的。胡林翼要向朝廷申请事项，便预先写好奏折，由官文以自己的名义向朝廷申请，没有一件事不获批准。

有时官文也会有不同意见，四姨太发怒说："我哥哥还不如你？他的话你还能不听？"

官文听后，立马签字盖印，所有的事都按胡林翼的意思办，后来索性对胡林翼送来的奏折看也不看，盖印签发，自己只管在内室拥美妾，饮酒享乐。

湖广督抚和睦的关系为全国之最，朝廷也下诏表彰，希望各省学习。

释评

有时候建大功名，创大事业，甚至坐高官都不需要自己有多高的水平，即便你是个庸才，只要善于用人，用能人，用贤人，一样可以做到，这叫做"因人成事"。

清朝中叶最善于"因人成事"并且得以名垂青史的有两位，一位是官文,另一位则是湖南巡抚骆秉章。

官文因四姨太之故虚心委任胡林翼,而他一生功名事业也都是胡林翼为他创下的。胡林翼率湘军浴血奋战,所立的每一份功劳都要先记到官文头上。官文万事不理,只管吃喝玩乐,享尽尊荣,功劳却一件不落地落到头上,不但官运亨通,而且裂土封爵,在道理上似乎说不通,事实却是如此,只因这里面有更大的道理在。

骆秉章和官文颇相类似。他因衷心佩服举人左宗棠的才学,虚心委任,凡事不管不问,只管签字盖印,余下的便是与姬妾喝酒、打牌、听戏,功名和官文也差不多。

据说左宗棠一天深夜草拟一份奏折,循环朗读,觉得文笔绝美,兴之所至,竟直闯内室,推开骆秉章的卧室便闯进去。

骆秉章正和小妾饮酒,衣衫不整,见左宗棠昂然闯入,不免大惊失色。左宗棠却看也不看二人一眼,捧着奏折读了一遍,随后轻蔑地对骆秉章说:"你能写出这么好的文章吗?"说完径自走出。骆秉章晃了晃头,并不觉得这是对自己的冒犯,静静神,继续和小妾饮酒。

清代黄花梨玉璧纹圆凳

胡林翼、曾国藩、左宗棠和李鸿章被称为清朝中兴的四大宗臣,世称曾、胡、左、李。平心而论,胡林翼和左宗棠能建立如此大的功名与官文、骆秉章的虚心委任及全力支持是分不开的。官、骆二人也因此坐享其成。古往今来有太多的才能智士毁于人事倾轧之中,郁郁而终,胡、左二人算是很幸运。

无能未必做不成大事,不智也未必真的发挥不出智慧,要看你如何发扬自己的"无能"而已,如官文、骆秉章,无能何妨?可以因人成事!

胡林翼开始时与官文极端对立，这也是清朝开国以来满汉同僚之间的正常现象，不过二人之间显得极端些而已。胡林翼想以自己的官职去留为筹码，向朝廷摊牌，有官无胡、有胡无官，其势必然行不通，假若真的如此做，胡林翼一生的事业怕是要终止于此了。

直道行不通，自然只有"曲线救国"了。胡林翼巧借官文四姨太过生日一事大做文章。他先是直言正色，使省府官员都不敢登门祝寿，他也并不急于去，直到官文和四姨太的心等急了，等冷了，绝望了之后，才突然现身，不惜屈巡抚之尊为总督的小妾祝寿，官文和四姨太的反应也是在情理之中。

胡林翼又趁热打铁，搬动母亲和妻子为四姨太祝寿。胡林翼的父亲是探花，妻子则是总督陶澍的女儿。太夫人和夫人可谓身份尊贵，比身为小妾的四姨太身份不知高出几倍，对四姨太却又亲密无比，四姨太才会巴结认母。当然，胡林翼的本意也不过是借此改善与官文的关系，四姨太认母、认兄，成为他在总督府里最强有力的内助倒是意外的收获。即便没有这一层，他和官文的关系也会得到彻底的改善，四姨太也会为他说好话，只不过要差一些罢了。

胡林翼手法的妙处在于：阻止众官员去而自己独去，否则省府官员全到场，他即便亲自去也显不出情义深重，两相比较有霄壤之别。出动母亲和夫人不过是更上一层楼而已，却得到了更大的收获。

此事在当时已被人到处传扬，胡林翼也因此颇受非议嗤笑，然而做大事者岂拘细节？若必如那些俗儒所言事事拘执、步步道义，也只能待在家里闭门不出了。

曾国藩极为自负，很少夸奖别人，唯独对胡林翼赞不绝口，推崇备至，自谓不如，而且是出自肺腑。

原文

谋晦当能忍，能忍人所不能忍，始成人所不能成之晦，而成人所不能成之功。

译文

谋晦要能忍耐，能忍住别人所不能忍耐住的，才能成就别人所不能成就的"晦"，然后才能立下别人不能建立的功劳。

【事典】王猛临阵许官

王猛率兵攻打燕国，燕国也派慕容评率重兵抵御秦军。

两军对垒，王猛派将军徐成去侦察燕军的布防情况，和他约定好中午回来，徐成却直到晚上才回来。

王猛大怒，认为徐成违犯了军令，非要把他按军法处斩不可。邓羌为徐成求情，说："如今敌众我寡，明天早上就要大战了，徐成是大将，应该饶过他这一次。"

王猛不答应，说："如果不杀徐成，必然会败坏我的军法。"

邓羌苦苦求情，说："徐成是我的部将，虽然过了期限该被斩，我愿和他一起杀敌来赎他的罪。"

王猛坚决不答应饶恕徐成。邓羌也激怒了，径自回营，击鼓集合自己的队伍，要攻击王猛。

王猛派人问他为何要反攻主帅，邓羌说："我们受圣旨远途来讨敌。现今敌寇已在眼前，却要自相残杀，我要先除掉想自相残杀的人。"

王猛不怒反喜，认为邓羌既重情义又有勇猛，派人对他说："将军收兵吧，我赦免徐成了。"

徐成被释放后，邓羌到王猛营中谢罪，王猛握着他的手说："我试一试将军而已，将军对部将尚且舍生相救，何况对国家呢，我现在不担心敌人了。"

两军交锋,王猛看到燕军人数众多,器械精良,士气也很旺盛,并不像原来想象的那样软弱,颇出意外,回头对邓羌说:"今日之事,除了将军不能破此强敌,胜败在此一举,将军可要努力杀敌啊!"

邓羌说:"如果您能让我当司隶校尉,这些敌寇您就不必放在心上了。"

王猛摇头说:"这事已超出我的权限,不过我可以保证让你当安定太守,封万户侯。"

邓羌满脸不高兴地退回去,不一会两军激战,王猛却找不到邓羌,派人去找他,邓羌却在营帐中卧床不起,根本不理会使者。

王猛自己骑马到邓羌营中,答应给他司隶校尉的官职。邓羌大喜,招集部将在帐中连喝了几碗酒,然后和徐成、张蚝跨马持矛,左右冲杀,如入无人之境,反复进出冲杀多次,燕军的阵势被他冲得七零八落,溃不成军。

这一战,燕军大败,被杀和投降的有十多万人,被俘虏了五万多人。

王 猛

前秦丞相,极富远见的政治家,东晋传奇人物。他辅佐苻坚对外扫荡诸国,对内修明政治,使前秦帝国迅速强大,为统一北方奠定了基础。王猛亦被史学家称为第一流的将相。

镜 鉴

对不同的人,在不同的形势下,应采用不同的方法对待。

释评

王猛使将用将可以说是不拘一格,如同调驯猛虎,既要保持猛虎的野性和凶猛的格斗能力,又要让虎服从命令,这也确实是一件很难把握的事。

徐成出外侦察，误了期限，王猛执意要把他处斩，似乎过于严厉。然而军法不严就没有威力，"军法如山"也就只是一句空话了。邓羌为徐成说情，已属徇私枉法，随后居然带兵要攻击主帅，即便不是造反也是最严重的犯上行为。王猛却容忍了他这种犯上，只因强敌在前，倘若先来个窝里斗，孰胜孰败，都只会给敌人以可乘之机。

邓羌得寸进尺，临阵要官，要的又是司隶校尉。司隶校尉是负责京师治安的显要官职，不经皇上的批准，王猛确实无权授予此官。邓羌却知道符坚无事不听王猛的，只要王猛金口一开，司隶校尉就是自己的了，所以王猛许诺他太守、万户侯，他拒不接受，在两军交战之际居然回营帐中睡觉，摆明了是在要挟。

王猛又一次退让，亲自前去答应封官，邓羌这才心满意足，奋勇驰骋，杀得燕军大败。

王猛治军一如其人，以严猛著称，唯独这一次对邓羌的犯上和要挟屡屡退让，盖因非邓羌不足以取胜也。审时度势，权一时之变以济大用，王猛使将用将之术确实已到了高深莫测的境界。

当然这也只能是一时的变通手法，绝非治军正道，否则对将士百般姑息迁就，势必养成一大批骄兵悍将，不单不能御敌，反成腹心之患。唐朝后期的藩镇割据就是最好的例证，到了五代，此弊更是遍地皆是。

刘备用一诸葛亮而成鼎足之势，符坚用一王猛，前秦遂强。

王猛在前秦与诸葛亮在蜀国的位置是一样的，出则将，入则相，国家内外军政大权握于一手。王猛也竭尽己能，把前秦由一个少数民族建立的小国，变成当时最强大的国家，假如王猛多活二十年，天下一统必能实现。

王猛每次出征讨伐敌国，都要先为敌国的国主和首要人物修建馆舍，准备把他们俘虏回来后妥善安置。可喜的是他每次都如愿而归，这也说明王猛每次出征都有百分之百的胜算，这一点不但一般名将比不上，诸葛亮也力有不逮。

原文

夫事有不可行而又势在必行,则假借行之势以明不可行之理,是行而不行矣。

译文

如果事情不能去做却又不得不去做,便假借做的名头来说明不可做的道理,这样就达到了做而实际上不做的目的。

【事典】梁储草诏拒封

明武宗时,秦王上书请求把关中空闲的田地赏给自己做养马的牧场,江彬、钱宁、张忠几人受了秦王的贿赂,也都劝武宗把地赏给秦王。

大学士杨廷和及别的大臣认为不妥,上书劝谏,武宗听信小人的话,不听群臣劝谏,坚持要把地封给秦王,并命令内阁草拟诏书。

大学士杨廷和、蒋冕见武宗难以劝说,便称病不出,用罢工来表示抗议。

武宗气得发疯,天天派宦官到内阁强迫大学士草诏。当时只有梁储一人守在内阁,他知道无论如何也改变不了皇上的决心,便不推辞,提笔草写诏书。

诏书上面写道:"太祖高皇帝定下法令,这块地不许分给亲王。这不是吝惜,而是考虑到这块土地宽广肥饶,亲王如果得到了,在里面多养战马士兵,既富贵又骄横,一旦被奸恶小人引诱,图谋不轨,对社稷皇族不利。

"你秦王如今得到这块土地,应该更加恭谨,不要收养奸恶小人,不要多养战马和士兵,不要听狂人的话图谋不轨,震动全国,危害我国家。到那时朕虽想保住我们的亲情也不可能了。"

宦官见大学士愿意草拟诏书,很是高兴,喜滋滋地捧着回宫见皇上。

武宗也很高兴,把诏书拿过来审读一遍,却吓得出了一身冷汗,一拍脑袋说道:"这事原来有这么可怕呀!"便打消了原来的念头。

江彬、钱宁、张忠等人也被这番话吓得不敢再为秦王申请了。

释评

武宗不听群臣劝谏,是他一生的本色风格,但他也有一点做得好,就是大权始终握在自己手里,而且信任重用杨廷和、梁储、蒋冕这些栋梁之材治理国家,所以武宗之世虽极乱却能不亡。

梁储知道仅靠祖宗制度、国家法令这些冠冕堂皇的道理是难以说服皇上的,索性从命,却把此事可能会产生的严重后果写出来,由皇上自择。

武宗虽然胡闹成性,却也知道不能拿江山社稷开玩笑,所以他虽百般逼迫内阁草诏,一旦明白了后果,马上便收回成命。

其实即便武宗不在意,秦王看到这份封地诏旨后,也断不敢接受,他也不过是想养些马增加藩国

明代绿釉印缠枝花纹四系罐

的收入,岂肯为了钱而担上谋反的嫌疑。

劝谏是大臣的职责,也是一门学问,如中医治病一样,要对人、对症下药才能奏效。一味的苦谏、强谏,甚至尸谏,忠则忠矣,却于国于己俱无实用。

梁储可以说是深通此门学问的人了,他不劝不谏,反而比劝谏更为有效,只因他击中了此事的要害。

破敌谋、挫敌锋、勇武猛鸷,不如晦之为用。

译文

破坏敌人的阴谋、挫折敌人的锋锐,勇猛的武力、猛烈的阵势,有时还不如"晦"的功效大。

【事典】李泌单骑平乱军

唐德宗贞元元年(785年),陕虢都知兵马使达奚抱晖用毒酒杀害了节度使张劝,自己控制了军队,并向朝廷要求任命自己为节度使。

当时朝廷正兴兵讨伐李怀光,达奚抱晖又和李怀光的部将达奚小俊联络,请他增援自己。

唐德宗对李泌说:"如果达奚抱晖和李怀光联合一处,就难以制伏了,抱晖占据陕州,朝廷的水陆运输就都要断绝了,不得不麻烦你去一趟了。"

李泌并不推辞,德宗便任命他为陕虢都防御水陆运使,并要派神策军护送他上任,问他需要多少人马。

李泌说:"陕城三面悬绝,如果用兵攻打,连年累月也未必攻得下,臣请只一人一马进入军中。"

德宗惊讶道:"你一人一马怎能行?"

李泌说:"陕城的军民,一向顺服朝廷,这不过是抱晖一人作恶而已。如果派大军去,他们心中恐惧,一定会闭城不纳。臣一人到陕城城外,抱晖用大军攻臣不值得,若派小将来杀臣,未必不反而被臣所用。况且朝廷重兵驻防安邑,陕州人想要加害臣,也会怕官军讨伐,这也是臣可以利用的依靠。"

德宗说:"话虽这样说,可是朕正要重用你,为朕管理国家事务,宁肯失去陕州,也绝不能失去你,还是让别的人去吧!"

李泌说:"别的人一定进不去陕城,而今事变初期,陕城叛军人心不齐,所以能出其不意,破除奸谋。如果别的人去,心中犹豫,道上耽搁时间,陕城人心一定,计谋既定,根本靠近不了陕城了。"

德宗听李泌分析得丝丝合扣,便同意了。

李泌一出潼关,节度使唐朝臣率三千人马迎接他,说是奉皇上密诏送他进陕州。

李泌说:"我向皇上辞行时已奉旨意,允许我便宜行事,你们一个人都不能跟着我,否则我进不了陕州城。"

唐朝臣因受密诏,不敢让李泌一人前往,李泌便给他写了一道手令,命令他退回去,再加速向陕城进发。

达奚抱晖不派手下出迎,反而在路上安排了许多探子,听说李泌没带一兵一卒,这才放下心来。

李泌中途在曲沃休息,抱晖的手下将领不等抱晖下令,便来迎接。李泌笑道:"大事成了。"他到了城外十五里,抱晖也不得不出城迎接,李泌满口夸奖他稳定军心、保护城池的功劳,对他毒杀节度使的事只字不提,又说:"军中有些谣言,不足介意,将军们都各按职务正常工作。"抱晖以为朝廷真的不打算追究自己,更加高兴。

李泌进入陕城,军中将领们都来参见,要李泌单独接见,好向朝廷表示忠心。

李泌说:"军中更换元帅之际,有些谣言,这也很正常,我一到事态就稳定了,其余的话我不想听。"

这些将领听了李泌的话,心里都安定下来。李泌便索要军中的文书,专心在屋里调配军粮。

大家见李泌不闻不问军中变乱的事,人心也就由骚动不安变得和平时一样了。

第二天,李泌把达奚抱晖找来,对他说:"我不是可惜你而不杀你,而是杀了你,别的将领会不安于心,朝廷派别的将帅来也进不了军中,所以让你继续活下去。你自己找个安定的去处,一定不要入关,然后悄悄来迎取家人,我保证你和家人的安全。"

达奚抱晖见李泌进城后，军心已经稳定，都想顺服朝廷，自己再想制造混乱已不可能。况且李泌饶恕了自己毒杀节度使的大罪，自己得以活命，也算是意外之喜了。达奚抱晖不敢有所侥幸，急匆匆悄悄地逃走了，改名换姓隐居他乡，也没人知道他最后的下落。

达奚抱晖所联系的外援——李怀光的部将达奚小俊领兵进入陕州地界，听说李泌已进入陕城，便知进也无功，又原路返回了。

释评

安史之乱以后，由于皇上信用宦官，大将有功不赏反而被诛，败将或反而升官，功与罪专视贿不贿赂宦官而定。大将们往往被迫造反，或拥兵自保。为了使将士们从命，又不得不用重赏来笼络人心，逐渐形成了兵骄将悍的风气。

后来将士们往往因赏赐薄而杀主帅，另换一位自己喜欢的大将做主帅。朝廷连年用兵，也极为艰苦，对哗变的将士百般容忍姑息，一军之中将士们推举谁，朝廷便任命谁做主帅，不敢稍有违背，虽然民主，权力却已不归朝廷了，后来的藩镇割据便起因于此。

达奚抱晖毒杀主帅，自立为主，在当时并不新鲜。如果不是陕州地处水陆要冲、朝廷贡赋运输必经之处，德宗大概也索性任达奚抱晖为帅了。

李泌要求单骑赴任，看似胆大，却是经过缜密的分析推理，因此握有完全的胜算。

他认为陕州不像其他的藩镇一贯和朝廷作对，军中哗变只是达奚抱晖一人作乱，其他人不得不随从而已，军心并未依附抱晖。假如快速赶到，收敛人心，抱晖如鱼脱水，想作乱也没有力量了。如果派官军护送，陕州人害怕被治罪，必然为自保而与官军作战，是本来不反倒要逼着他反了，即便最后能讨平，也要多费许多手脚。

李泌到了中途，抱晖的部将便私自出城迎接，李泌便知人心尚可挽回，所以他以督运军饷为名，安抚众心，既使抱晖不起疑心，又使军中人人安定。

待到众心稳定后，李泌便申明利害，驱逐抱晖。抱晖见人心已归附李泌，自己孤家寡人，只得抱头鼠窜。

历来对乱军的处置方法无非是能讨则用大兵征讨，不能讨便听之任之。李泌之所以能单骑戡平乱军，首要原因是没有让官军护送，自己任的又是转运使，似乎与乱军无关，这才能进入陕州城。而朝廷官员一到，军中将士就有了依附，抱晖想挑动将士造反也无人随从了。另一个原因则是当机立断，到达神速。抱晖只是希望朝廷授给自己节度使的职务，还不想和朝廷彻底决裂，犹豫不决之际，已被李泌挫败了奸谋。

李泌对抱晖逐而不杀，也很高明。如果杀了抱晖，其他将领便会人人自危，浮言一起，人心思乱，大事又将去矣。

原文

至若万马奔腾、千军围攻，我困孤城，勇既不敌，力不相侔，惟谋惟晦，可以全功。

译文

如果敌人以千军万马围困我于孤城之中，勇猛比不上敌人，实力又相差悬殊，此时便只有用谋晦的手段来保全自己并建立功业了。

【事典】铁铉借灵守城

燕王朱棣起兵，建文帝所派的主帅李景隆先败于白沟河，复败于德州，又在济南城下与燕军作战，大败而逃，朱棣便乘胜包围了济南。

山东参政铁铉随军监督粮草，便和参将盛庸固守济南城。

济南城墙既高又厚，不易攻破。朱棣为了保存有生力量与朝廷抗衡，一般见到防守坚固的城池都弃而不攻，以免过多地损耗实力。他认为济南是南北通道的中心，一旦攻下济南城，就可以划疆固守北方，能有一个稳固的根据地，所以他指挥士兵，昼夜攻城，又用河水灌城，势头极为凶猛。

铁铉指挥民众拼死抵御，城虽未被攻破，情势也极为危急，便派人到城外诈降。

朱棣大喜，燕军也都高呼万岁。

铁铉却安排壮士安守在城墙上，在城门上用绳索吊起一块大铁板，约好等燕王一入城门，便放下铁板砸死燕王。又派人把守吊桥，让他们等燕王入城，便斩断吊桥，阻截燕军入城。

这面计谋安排妥当，朱棣却懵然无知。第二天早上，他脱下盔甲，换上亲王的冠服，排出全副仪仗，吹吹打打，耀武扬威地进城，准备接管济南。

朱棣一入城门，几名壮士心里发慌，铁板放早了一刹那，只砸断了朱棣坐骑的马头，没砸到朱棣本人。

朱棣见状，便知有诈，跌落下马后，换了一匹马便向回逃，把守吊桥的士兵居然吓傻了，没有及时斩断吊桥，朱棣才得以逃回军中。

朱棣恼羞成怒，下令加紧攻城，又调来火炮轰击城墙，非拿下济南城洗雪耻辱不可。

城墙虽厚，也难以抵挡火炮的轰击，一旦城墙被毁，城池也就被攻破了。

铁铉又心生一计，在一块大白木牌上写道：太祖高皇帝之灵，让士兵高举灵牌，立于城墙之上。

朱棣蓦然见到父皇的灵位，大惊失色，拜伏在地，叩头不止，又传令军中不许放炮轰城，以免误伤父皇灵位。

铁铉借机修补城墙，全力防守，燕军虽然仍猛力攻城，但无火炮辅助，士气减弱不少。围攻济南三个多月，也未能进城一步。

此时大将平安率兵二十万，要攻打德州，切断燕军的粮饷通道，朱棣见势不妙，只好忍痛放弃济南，撤回北平。

释评

朱棣自起兵以来，几乎百战百胜，军威未曾受挫，却惨败于济南城下。

铁铉诈降诱骗朱棣进城，是官军四年平燕战役中唯一一次可以除去朱棣的良机，朱棣一死，战事也就终止了。"惜乎其不中！"

铁铉又假借朱元璋的灵牌阻止燕军以大炮攻城，更是出人意外的妙举。

朱棣起兵与侄子争夺皇位，心里一定会觉得愧对父亲，因为建文帝是朱元璋生前就确立的合法继承人。他起兵造反，虽说是迫不得已，但也和朱元璋的意旨违背。所以他一见到灵牌，就惊慌失措，拜伏在地，不敢仰视，这正是他心里的罪恶感在起作用。

朱棣率十几万人连破李景隆的百万大军，却死攻一济南城不下。铁铉的防御手段固然高明，但这道祭出的灵牌才是挽救济南城的关键所在。

因为朱棣一攻城就会见到父皇灵牌，攻城之志已被无形中夺去。旷日持久，燕军的士气也逐渐消磨殆尽，各种攻城手段均被铁铉巧妙破解，士气也萎靡不振。

主帅被夺志，三军被夺气，这正是李景隆率百万大军每战必败的原因。风水流转得也快，朱棣屡胜之后，在济南城下也因此故而无功。

朱棣惧怕朱元璋的灵牌也表现了他一生中对朱元璋的负罪感。他夺取南京，登上帝位后，便大修北平城，排除众议迁都北平，表面上是为了更好地防范蒙古部落的侵入，实际上是因为朱元璋的灵寝在南京，他在南京就会感到不自在。未迁都之前，他也总是留太子在南京监国，自己却回北平居住。考察他一生行迹，在北平十分有九，在南京十分才一而已。

朱棣死后更是要葬在北平，却不回南京陪他的父亲，是死后也不敢去见父皇。他的子孙后代倒是个个陪着他，也就是现在的十三陵，这样便把开国君主一个人孤零零地扔在南京了。

朱棣的这种心理一般人很难猜得到，铁铉不仅猜到而且加以利用，才能用块白木牌抵御住了万马千军。

【谋晦卷第四(下)】

原文

晦者忌名也,以名近明,有亢上有悔之虞。

译文

谋晦最忌讳的是过高的名声,因为美名近于"明"这种状态,名声过高会有无形的威权,而使居于上位者不安,这样就有折损颠仆的危险了。

【事典】卫青不立威名

卫青因姐姐卫皇后受宠于汉武帝,被任命为大将军,封长平侯,率大兵攻打匈奴。

右将军苏建在与匈奴作战中全军覆没,单身逃回,按军律当斩。

卫青问长史、议郎等属官:"苏建应当如何处置?"

议郎周霸说:"大将军出兵以来,从未斩过一名偏将小校,如今苏建弃军逃回,正可斩苏建的头,来立大将军之威。"

卫青说:"我因是皇上的亲戚而带兵出塞,并不怕立不起军法的威严,你劝说我杀人立威,却失掉了做臣子的本分。我的权限虽可以斩杀大将,然而我把专杀大将的权力还给皇上,让皇上来决定是否诛杀,来显示我虽在境外,受皇上尊宠,却不敢专权杀将,这不是更好吗?"听了卫青的话,属官们都钦佩地说："大将军高见，属下等万万不及。"

卫青便派人把苏建押回长安，汉武帝怜惜其才，并未杀他，让他出钱赎罪，而对卫青的处置大为满意。

苏建后来又跟随卫青出塞攻打匈奴，他劝卫青说："大将军的地位是至尊至重了，可是天下的贤士名人却没人夸赞传扬您的威名。古时的名将都向朝廷推荐贤良才能之士，自己的名声也传遍四海，希望大将军能学习古时名将的做法。"

卫青摇头说："你只知其一，不知其二。自从武安侯田蚡、魏其侯窦婴各自招揽宾客结成朋党以颂扬自己的名声以来，皇上常常恨得咬牙切齿。亲近贤士名人，进用贤良贬黜不肖，这都是皇上的权柄，我做臣子的，只知道遵守国法，履行自己的职责而已。"

汉武帝宠爱卫青特甚，命令群臣见到卫青都要行跪拜礼，以显示大将军的尊贵。

群臣都不敢抗旨，见到卫青无不匍匐礼拜，只有主爵都尉汲黯见到卫青依然行平揖礼。有人好意劝汲黯："对大将军行跪拜礼乃是皇上的意思，您这样做不怕皇上恼怒吗？"

汲黯昂然道："跪拜大将军的多了，多我一个不多，少我一个不少。难道说大将军有一个平礼相交的朋友，就不尊贵了吗？"

卫青听说后，非常高兴，登门拜访汲黯，谦虚地说："久仰大人威名，一直没有机会和大人结交，今幸大人看得

卫青

　　西汉著名军事将领。公元前129年被封车骑将军始，共七次率兵攻匈奴，战功显赫，权倾朝野，但从不结党干预政事，体恤士卒，威信很高。

镜　鉴

　　谨守职责，有权而不擅用，方能让居上者心安。

起，请您把我当您的朋友吧。"

汲黯见他态度诚恳，不以富贵骄人，便破例地交了这个朋友，卫青以后凡有疑难问题，都虚心向汲黯请教。

汉武帝很欣赏卫青的谦逊，也就不计较汲黯的抗礼了，对卫青的宠爱始终不衰。

释评

俗话说："礼多人不厌。"礼多固然有虚伪的嫌疑，也确实没人讨厌，相反无论多么贤明、正直的人，你天天挑他的毛病，指责他的过失，他也会忍受不了；而马屁只要拍得准，拍得妙，什么人都会堕入其中而不觉，把你当成大大的好人。古有"金钱万能"论，实际上马屁也是万能的，偶尔失灵，只是技术不过关而已。

卫青身为主帅，不擅杀违犯军法的大将，不向朝廷推荐贤良，把皇上赋予他的权力又谦虚地还给皇上，既是养晦，也是在拍皇上的马屁，意思是说我不敢侵夺您的权力，还是您自己来行使吧。汉武帝果然被拍得晕乎乎的。

古来大将出征，为了让将士不敢违犯军令，往往要杀人立威，有时固然是为严肃军法，有时却仅仅是显示自己"执法如山"。无论怎样，对确立军法的严肃性都是必需和有效的。

然而皇上虽然赋予主帅这一权力，却未必都喜欢大将使用这一权力，因为这容易造成将士畏惧主帅甚于畏惧天子的局面，这已构成军事政变的基本要素。

清朝的大将军年羹尧倚仗雍正对他的宠爱，把主帅的权力发挥得淋漓尽致。

每次大军出征回来，年羹尧便坐在帅帐中，集合将领们，查看功过簿，有功的马上给予赏赐，几品几品的冠带就在他身边，立刻让有功的将领换上，升官可谓神速；而有过的将领，宣布完罪状后，也是马上拉出帐外斩首，连个缓期执行的机会都不给留。所以众将和士兵们见到年羹尧如见阎王，无不吓得两腿发抖，年羹尧一声令下，即便是赴汤蹈火也在所不辞，不敢稍有懈怠。

不过将士们还是愿意追随年羹尧，虽然脑袋掉得快，升官也快，毕竟后者的概率要大一些。

年羹尧能百战百胜也是因此原因。

然而雍正却忍受不了，因为军队只听年羹尧的，他已失去控制权，于是他便先削了年羹尧的兵权，然后赐死。

许多皇帝宁肯削弱军队的战斗力，使用文臣、宦官制约大将，或使用平庸无能的将领，也不重用有才能又受将士拥戴的大将，这也是由于上述原因。权力绝不能下放，放了也不允许你使用！

向朝廷推荐有才能的人，本来是件好事，但也有其弊病。身居高位的人向皇上推荐人做官，皇上不忍心驳他的面子，即便认为不妥，也会委曲听从。而被推荐的人往往会感激推荐者而不感激皇上，久而久之便会形成私人小集团，与皇权对抗，这也是皇帝最忌讳的。

西汉玉跪兽

不擅权，不荐士，谦恭好礼，这都是些小事，卫青却善于在这些小事上做文章，深谙古人"防微杜渐"的妙理，小事犹防，还会有大事吗？所以卫青能始终得到汉武帝的尊宠和信任。

看来谋晦之道并不难，也不需要做太大的事，只要事事注意，事事小心，就可以与灾祸越来越远。

原文

负君子之重名,偶行小人之事,斯亦谋晦之道也。

译文

假如已背上正人君子的名声,并且名望浪高,偶尔做一件不伤大雅的小人做的事,这也是谋晦的一种手段。

【事典】崔暹的小人之举

东魏末年,政治风气败坏,大臣们多数贪污受贿。东魏的权臣高欢也很想澄清一下吏治,可是为首的太保孙腾、尚书令司马子如等人都是高欢的布衣旧交,素来执掌朝政。高欢不忍心下手惩处他们,便任命儿子高澄为大将军领中书监,并把朝政都转移到中书,借高澄的手来惩处这些贪污的权贵。

高澄任命吏部郎崔暹为御史中尉,崔暹明白高欢父子的意思,便纠举弹劾,既不避权贵,又不遗余力。他上书弹劾尚书令司马子如、太师咸阳王元坦以及并州刺史可朱浑道元等人贪污受贿的罪状,极尽抨击之能事。

高澄便顺势把这些人逮捕入狱,免官的免官,处死的处死,流放的流放,波及极广,吏治为之一清。崔暹因此名震天下,也得到了正人君子的美名。

东魏高阳王元斌有个异母妹妹元玉仪,风流放荡,不守妇道。高阳王一家都很嫌弃她,因此无人敢娶。后来她无奈之下竟给孙腾做了家妓,又被孙腾抛弃,淫声远播。

大将军高澄有一天在路上遇见元玉仪,一眼就看中了,便收纳为妾。浪子荡妇一经遇合,正是各得所宜。

高澄极为宠爱元玉仪,便凭借自己的权力封玉仪为琅邪公主。高澄深知元玉仪名声不雅,自己收她为妾已属不妥,又封为公主更是有碍观瞻。他担心崔暹会像弹劾那些权贵一样对自己毫不留情,直言劝谏,自己也要大为难堪,便对崔暹的叔父崔季舒说:"崔暹知道此事后,一定会向我直言劝谏,我也有办法对付他。"

等崔暹进来奏事,高澄一改往日对他的礼貌,板紧面孔,一点也不给他好脸色看。高澄虽先给他个下马威,心里却也忐忑不安。

崔暹却一字不提此事。过了三天,崔暹又进来请示,忽然从袖中掉下来一张拜访客人用的名刺。

高澄奇怪地问道:"你要去拜访谁啊?"

崔暹故作惶恐的神态说:"我还没能见到公主。"

高澄大喜,握住崔暹的手臂,直接把他领入公主房中,宾主畅谈极欢。

崔季舒对别人既埋怨又佩服地说:"崔暹常常恨我好佞,在大将军面前,总是说他叔父我该杀,等到他自己做起这些事来,比我在行多了。"

释评

崔暹一生所为,基本上还无愧于"君子"二字,尤其在御史中尉任上,弹劾贪污的权贵高官,除高欢父子外无一漏网,对于严肃国法、澄清吏治都是有重大贡献的。

然而人无完人,君子也未必事事处处皆君子。高澄自己做了不雅的事,以为崔暹一定不会放过自己。崔暹向朝廷弹劾当然不可能,因为朝廷大权就在自己手中,然而被他那张利口说上一顿,也够自己脸红心跳的了,所以心里也很畏惧。

孰料崔暹不仅不劝谏,反而主动要求拜见公主,高澄喜出望外,对崔暹更为宠信了。

其实崔暹明白自己的一切都是高澄父子给的,谁都可以得罪,只有这两人得罪不得。两人中高澄尤其得罪不得,否则不是名声的问题,而是命有没有的事了。

崔季舒慨叹崔暹比他还奸佞,其实君子未必不懂小人之道,只是自顾身份和道德纲常,不屑于去做而已,真要做起来,确实比小人还有水平,盖因君子通常总比小人有才也。

君子偶尔也会有小人之举,小人有时也会表现出君子风度,但这却改变不了君子、小人的本质。因为判别君子、小人要从大体上来看,要从大节、大义上来界定,所以崔暹不失为君子,而崔季舒终归是奸佞小人。

原文

己所不欲,拂逆则伤人之情,不若引人入晦,同晦则同欲,无逆意之患矣。

译文

自己所不愿意的事,强行反对拒绝会损伤别人的感情,不如引别人进入自己的"晦"的状态中,位置相同心意也会相同,就没有这些麻烦了。

【事典】朱温之妻巧言救人

五代时期,朱温和兖州刺史朱瑾、郓州刺史朱瑄两兄弟的关系原本不错。朱温曾和朱氏兄弟结成同盟消灭了军阀秦宗权,因为是同姓,便结为兄弟。

朱瑾、朱瑄见朱温大梁的士兵精壮勇猛,便在两方交界处用金银诱惑大梁士兵逃奔到自己这面来。

朱温本就想吞并兖、郓二州,只因曾经和朱氏兄弟结过盟,不好意思翻脸,便以此事为借口,发兵攻打兖、郓二州。他不仅尽占二州之地,还得到了朱瑾的妻子，以他的好色如命，自然要占为己有，便带回大梁。

朱温的妻子张夫人贤惠又有智谋，听说此事后便主动去迎接。

见到朱瑾的妻子后，张夫人拉着她的手，哭道："兖、郓二州和我家司空本是同姓，又约为兄弟，他们兄弟因为一点点小事大动干戈，让姐姐落到这步田地。如果有一天汴梁被别人攻破，我也和姐姐一样的下场了。"

朱温听后，心里也倍感凄凉，便不忍心霸占朱瑾的妻子，只让她出家为尼。张夫人一直供给她的衣食，不使有缺。

释评

朱温残忍暴虐，又好色如命乃至禽兽不如，这样的人也会得天下，真是没有天理。

朱温只怕一人，就是他的夫人张氏，不但家中的事全听张夫人的，就是行军打仗的事也每每征询夫人的意见。有时已率大军出征，张夫人派名信使追上他，让他回师，朱温想也不想，立刻回转。

嫉妒是女人的天性，而古时女人的三从四德中却以不嫉妒为一种美德，这也和给女人裹足一样，是一种违反人类自然本性的"美德"。

张夫人即便兼备三从四德，也不会不嫉妒，更不会愿意自己的丈夫今天抢人家的媳妇，明天霸占人家的妻子，但如果强行拦阻，效果未必好，说不定适得其反，而自己也会有"妒忌"的名声。

张夫人从同情朱瑾之妻的遭遇到联想自己他日可能会有的下场，实际是在告诉朱温：你不过是侥幸打了胜仗，便霸占人家的妻子当玩物。如果有一天你败了，你的老婆也一样会被人家抢去当玩物。

朱温想到这一层，悚然大惊，心里也一定很不是滋味，即便霸占了朱瑾的妻子也不会有乐趣可言。因为每次只要朱温看到她，都会想到自己的老婆也可能被别人这样玩弄，气也要气疯了，所以便送朱瑾之妻到尼姑庵出家，算是保全了她的贞节。

"家有贤妻，男儿不做横事。"可惜张夫人死得早，朱温全然没了管束，坏事做绝，终于死在自己儿子的刀下，也算是天理昭彰了。

原文

人欲无厌,拒之则害生,从之则损己,姑且损己从人,继而尽攘为己有。

译文

人的欲望是没有止境的,拒绝就会有祸患发生,顺从又会损害自己,而先损自己来满足他人,然后就可以把他人所有也都占为己有。

【事典】冒顿寸土不让

冒顿是匈奴单于头曼的太子,头曼后来又喜爱别的妻子生的小儿子,想废掉冒顿而立小儿子为太子。冒顿便杀掉头曼,自立为单于。

当时东胡强盛,听说冒顿弑父自立,内部形势不稳定,便乘机挑衅,派使者到冒顿那里,索要头曼的一匹千里马。

冒顿问左右大臣,大臣们都说:"千里马是匈奴的宝马,绝不能送给他。"

冒顿沉吟着说:"东胡索要千里马不过是个借口,假如我们不给,他就有理由攻打我们,就要发生战争。"

左右大臣都攘臂愤慨地说:"宁可和他们一拼生死,也绝不可示弱送马。"

冒顿说:"打起仗来就要损失几千几万匹马了,人会死得更多,不值得为了一匹千里马付出如此大的代价,况且都是邻国,在乎一匹千里马也显得过于小气。"

冒顿便派人把千里马送给东胡。

过了不久,东胡又派人来索要单于的一个阏氏(单于的妻子称为阏氏),冒顿又问左右大臣。

左右大臣都义愤填膺,说:"东胡太没有道义了,竟敢索要阏氏,是可忍,孰不可忍,请您下令发兵攻打他。"

冒顿说:"为了一名女子和邻国大动干戈,损失人马牲畜无数,太不值得了,况且和人家邻国友好,何必吝惜一名女子。"便又把东胡索要的阏氏送了出去。

东胡王见所求辄获,意气骄横,根本瞧不起冒顿单于,又派使者见冒顿,说:"你我两国边境之间有块空地,有一千多里,你匈奴也到不了那里,把这块地送给我吧。"

冒顿又问左右大臣该如何。

左右大臣们说:"这本来就是块无用的土地,给他也可以,不给也可以。"

冒顿闻言大怒,说道:"土地是国家的根本,怎么能把土地送给别人?"

凡是说可以把地给东胡的大臣都被他斩首了。冒顿紧接着下令国中,集中兵马,有敢迟到者一律斩首,然后亲率大军袭击东胡。

东胡素来轻视匈奴,全然不加防备。冒顿一举消灭了东胡,把东胡的百姓和牲畜占为己有。

释评

冒顿弑父自立,虽属自保,也显露出他凶猛残忍的天性。然而面对东胡的无理要求,他却一忍再忍,而且忍常人所不能忍,这是因为他要成就常人所不能成就的事业。

当时东胡最为强大,东胡敢于提

冒 顿

匈奴单于,秦二世元年(公元前 209 年),弑父自立。冒顿利用秦汉之际中原大乱的机会,侵占大片土地,有"控弦之士"三十万,是当时威胁中国北方的强劲势力。

镜 鉴

佯装顺从麻痹敌人,乃兵家常用之法。

出无理至极的要求也是倚仗自己的实力，索要千里马和阏氏不过是想挑起事端，以便自己出师有名。假如此时冒顿不答应请求，正式开战，一定占不到上风。

冒顿偏偏都忍住了，要马给马，要人给人，就是不给你开战的理由。另外，也以谦卑懦弱的姿态达到骄敌、愚敌、痹敌的目的，同时用所受到的耻辱来激发国内斗士的血性。"知耻近乎勇"，耻辱常常会增强斗志。

东胡见所求无不获，心满意足，既不把匈奴放在眼里，也不屑于出兵攻打了，却不知"骄兵必败"，在表面的胜利中，已经输掉了最关键的战争要素。

匈奴是游牧民族，逐水草而生存，视马为最重要的宝物。冒顿连千里马和心爱的女人都舍得拱手送出，按说一块无用的废地更没什么舍不得的，因为没有水草的土地对游牧民族而言是块废弃的土地。

东胡王如此想，也就漫不经心地索要，根本没有想到有战争的可能，也根本不作防范。

匈奴的大臣们也是如此想，所以有人满不在乎地说可以给，谨慎些的人说不给也可，其实都没当做一回事。

冒顿却以此为契机，要向东胡开战。其实也不是这块土地真的有那么重要，而是战争的最佳时机已到。

前两次东胡都有充足的准备和精心的防范，而此次东胡已骄，又无戒备，正是予以沉重打击的好时机。

而己方经过东胡两次无理挑衅，将士们无不血脉贲张，斗志高昂，如果长期不战，斗志也会有所减弱。

冒顿看准的正是这两点，所以才能出其不意，一举消灭强敌。匈奴自从遭受秦始皇打击以后，到冒顿手里才又重新强大起来，成为西汉王朝最大的敌人。

冒顿一定没有读过《孙子兵法》，然而观其行事，无一不与兵法合。骄敌、痹敌、愚敌，鼓舞己方斗志，出敌不意，攻敌无备，无一不是兵法中的精髓,而赵括之流熟读兵法的人却往往不能正确使用兵法,丧师殒命为后世笑。历史上有的是这种例子:不读兵法的人善用兵法,熟读兵法的人背离兵法。那么是读兵法好还是不读兵法好呢?真是桩糊涂公案。

原文

居众所必争之地,谋晦以全身,谋晦以建功,此又谋晦之大者也。

译文

身处大家都想要抢夺的位置,通过谋晦的手段来保全自身,通过谋晦的手段来建功立业,这才是谋晦的大家。

【事典】刘晏左右逢源

唐德宗时,刘晏一手掌管全国的赋税收入和各地的转运工作,权重财雄,许多权贵大臣看着也很眼热,便推荐自己的子弟到他那里工作,都想分一杯羹。

刘晏一时犯了难,他知道这些权贵一个也招惹不起,否则用不上三天,自己就会被流放到边远蛮荒地区,杀头抄家也不是不可能的事。然而如果答应了这些人的要求,收下他们的子弟,委任官职,这些膏粱子弟根本不懂财政工作,自己指挥他们也不灵,到头来搞得一塌糊涂,承担罪责的还是自己,真是左右都难以得好的事。

他苦思冥想多日,终于想出一个两全其美的方法。凡是推荐来的权贵子弟，他都照单全收，委任要职，却不分配给他们任何实际工作，所有的事务依然由自己精心挑选的官吏来做。

这些膏粱子弟既有官位、丰厚的薪水，又不必做繁冗细碎的财务工作，还可以积累自己升官的资历，个个乐不可支。权贵们也都认为刘晏很给面子，对刘晏的工作也都大力支持。

刘晏手下那些做实际事务的官吏都不是由正途出身，本来也不可能升到高官，只要有丰厚的奖金，对官职根本不在乎。

刘晏便用官位满足权贵们，用钱来满足手下的人。这样一来，他在工作中便左右逢源，不受牵制。

释评

刘晏是中国历史上最杰出的理财家，可谓前无古人，后无来者。

刘晏理财的政绩最为突出，事迹也很多，这里暂且不论。然而他之所以能有如此突出的理财政绩，固然是因为他非凡的理财才能，更重要的是他为自己营造了一个非常和睦的人事环境。

在中国封建社会里，仕途是否顺达，官运是否亨通，乃至于有多大的政绩，实际上并不取决于你有多大的才能，而在于你是否有良好的人事关系。

如果没有良好的人事关系，你纵有通天的才能，被弃而不用，也不过

刘　晏

唐朝理财名相。开元时以神童授太子正学，天宝年间办理税务，此后长期担任财务要职几十年，效率高，成绩大，被誉为"广军国之用，未尝有搜求苛敛于民"的著名理财家。

镜　鉴

两害相较，取其轻。对那些你得罪不起的人，毫无他法，只能把他们供养起来。

与草木同朽。或者才如李白,叫你去上阵杀敌;勇如虎贲,却叫你去舞文弄墨,如此一来,一定连普通人都不如。

所以,既要有才能,又要有良好的人事关系,才能得到合适的位置,发挥出自己的才能,创造出非凡的成绩,可谓"万事以人为本"。空喊着"天生我材必有用"的李白到头来终无所用,郁郁而终,根本原因就在于他忽视了"人"。

刘晏自小即是神童,九岁便在朝中任秘书正字,对官场的一切耳濡目染,早已熟稔于心,为自己以后的仕途积累了宝贵的经验。

刘晏掌管全国财政几近二十年,一个人能在如此炙手可热、人人想夺的职位上停留如此长的时间,在倾轧激烈的封建官场上是难以想象的。刘晏能够如此,全在于他与上下左右的人事关系都很融洽,人人都从他那里得到自己所需要的,也都愿意他留在这个职位上。

刘晏既满足了各方的需求,又从不违反原则,巧为变通而已。基于此,又在财政上创造出非凡的政绩,这几乎只能是想象中的事,刘晏却身体力行地做到了。

这不仅仅是刘晏才能高,也是他心思灵活,不迂腐呆板,善于变通,才能八面玲珑,事事尽善。如同岳武穆用兵,妙用其心而已。

诈虽恶名，亦属奇谋。孙子曰："兵不厌诈。"施之于常时，人亦难防。运诈得理，可以成晦焉。

直道长而难行，歧路多而忧亡羊，妙心辨识，曲径方可通幽。

诈以求生，晦以图存。非不由直道，直道难行也。操以诈而兴，莽以诈得名，诈之为术亦大矣，虽贤人有所不免。厌诈而行实，固君子之本色；昧诈而堕谋，亦取讥于当世。是以君子不喜诈谋，亦不可不知诈之为谋。

人皆喜功而诿过，我则揽过而推功，此亦诈也，卒得功而无过。君臣之间，夫妇之际，尽心焉常有不欢，小诈焉愈更亲密，此理甚微，识之者鲜。诈亦非易为也，术不精则败，反受其害，心不忍不成，徒成笑柄。

使诈、使奇都是兵法中的正道,在非常情形下,使诈即是万不得已的最后一招,效果往往也能好得出人意料。

小人使诈谓之奸,君子使诈谓之权。

诈如果只是一种手段,无可非议,但如果是一个人的性格,就很可怕了。

诈而后复归中正,如君子使诈无穷,必殃其身。

原文

诈晦恶名，亦属奇谋。

译文

诡诈虽然是不好听的名词，却也是可以出奇制胜的谋略。

【事典】朱元璋的心声

朱元璋打败陈友谅、张士诚，定鼎南京，建号称帝，由刘伯温亲自选定风水宝地，开工兴建宫殿。

朱元璋住进建好的皇宫后，没事便到处走走，熟悉一下环境。

一天，他走到一间刚完工的大殿里，看着雕梁画栋，金碧辉煌，回想自己当年当和尚的情景，不禁感慨丛生，四下顾望无人，便信口把心中所想说了出来：

"唉，我当年不过为饥寒所迫，想当个盗贼，沿江抢掠些金银财物而已，哪成想能有今日这番气象。"

说完后，他仰面观看棚壁，却吓了一跳。原来有一个漆匠正在一个大梁上做最后的油漆工作，由于梁木宽大，朱元璋先前竟没发现他。

朱元璋马上意识到自己一时冲动失言，一番只能藏在心底、不能让任何人知道的真实想法可能都落入这名漆匠耳中了。如果不杀人灭口，势必会传扬得四海皆知，那可是丢人丢脸又不利于自己以天命愚弄百姓的大事。

他开口让那名漆匠下来，连喊了几遍，漆匠却充耳不闻，继续慢条斯理地做着手中的活。朱元璋大怒，加大了音量喊，那名漆匠仿佛才听到声音，忙下来跪在朱元璋面前，叩头说："小人不知陛下驾到，没有及时避开，冒犯了陛下，请陛下恕罪。"

朱元璋怒声道："你耳聋了怎的？我叫了你几遍你都不下来？"

漆匠叩头说:"陛下真是英明皇帝,连小人耳朵聋都一看就知道,陛下圣明,也是小人和万民的莫大福分。"

朱元璋生性多疑,但看漆匠脸上神色并无太大变化,心想他骤然听到这样大的秘密,自然知道厉害,即使没有吓得掉下来,也会面如土色,不会如此平静,看来他真是个聋子。

也因为朱元璋此时心情好,又见漆匠为自己的宫殿做活做得不错,且很会说话,便摆摆手让他继续干活去了。

这名漆匠当晚找个借口逃出皇宫,连夜逃回了老家,携带家小躲避他乡。而朱元璋后来因为国事繁忙,根本记不得这件事了。

释评

其实不仅是朱元璋,几乎所有的农民起义最开始都不过是被饥寒压迫所致,反是死,不反更没活路,所以宁肯造反来求活路。这类起义根本谈不上有什么为国为民、解救苍生的远大政治抱负。

朱元璋起义后,势力越来越大,军队越来越多,占的地盘也越来越广。他找来地图一看,全国的地方已被自己占得差不多了,完全可以当皇帝了,这时才恍然大悟:原来帝王也没什么天命,我这样的人也完全可以做。

朱元璋当了皇帝,统一四海后,偶尔回想自己当年最落魄时求一顿饱饭都不可得,如今却富有天下,贵为天子,一定也会感到啼笑皆非吧。

明代铜释伽牟尼坐像

朱元璋当初为了有口饭吃,出家当了和尚,可惜连年兵荒马乱,又赶上了大饥荒,和尚也没得饭吃,只好又去从军,跑来跑去也不过为了有口饭吃而已。假如他当和尚时有三顿青菜豆腐可吃,到老也不过是个担水劈柴的粗笨和尚,根本谈不上建立什么大明王朝。

伟人有时也是"饿"出来的,这也算是读历史的一条新发现吧。

那名漆匠的才能或许并不比朱元璋差,观其骤闻天大的秘密却不惊不慌,真有"泰山崩于前而色不变"的大将风度,马上又想到用耳聋来保护自己,这份机智也是人所难及。面对朱元璋的盛怒,漆匠巧拍马屁,使其转怒为喜,饶了自己一命,又显示出非凡的口才。

至少在这一番较量中,漆匠获胜了。假如由他建立一个什么王朝,也未必不可能,也许是他生的地方好,没有朱元璋饿得厉害,所以他只能是名漆匠!

原文

孙子曰:"兵不厌诈。"施之于常时,人亦难防。

译文

孙子兵法上说:"兵不厌诈。"就是在平常时候施展出来,人也是很难防范的。

【事典】称帝自娱的刘守光

刘仁恭、刘守光父子占据燕地(今北京一带),刘守光因和父亲的爱妾私通,被父亲责打一顿,赶出家门。

刘守光趁大梁朱温派兵攻打幽州,刘仁恭没有防备,形势混乱之际,率兵回援,赶走了梁将,占据了幽州。他把父亲刘仁恭囚禁起来,又杀了前来争夺权位的哥哥刘守文。

刘守光囚父杀兄，大权在握，便骄横不可一世。当时后梁朱温和太原李存勖之间正展开生死决战，没有力量顾及刘守光，幽州倒是太平无事。

刘守光自以为实力强大，便派使者到太原去见晋王李存勖，要求河朔各藩镇拥戴他做河朔元帅。

晋王李存勖见信大怒，便要发兵攻打幽州，他手下大将劝道："刘守光恶贯满盈，不久就要被灭族了，姑且表面推尊他，让他安稳些。"

李存勖转念一想又觉得好笑，何况正全力与后梁周旋，实在抽调不出部队教训刘守光，便和镇州节度使王镕、定州节度使王处直联名上表，推尊刘守光为尚父、河朔元帅。

刘守光以为三镇畏惧自己，愈发狂妄，又向后梁太祖朱温要求河北都统的官职。朱温也知道刘守光既愚蠢又狂妄，不值得和他较真，出于和李存勖同样的目的，便任命他为河北采访使，为了显得正式些，还派使者去册封。

刘守光让手下草拟了一份受封尚父、采访使的礼仪表，他的手下知道主子狂妄又不学无术，便拿出唐朝册封太尉的礼仪表献上，好满足他的自大欲望。

刘守光看后，奇怪地问："这里怎么没有郊天改元的事项？"

他的手下耐心解释说："郊天和改元都是皇上才能有的事项，尚父虽然能至尊至贵，毕竟还是臣子，哪能有郊天、

刘守光

　　五代时期桀燕国建立者。907 年，率众攻占幽州，囚其父，自称卢龙节度使。911年，登极称帝，国号大燕，改元应天。913 年，晋军攻陷幽州，刘守光出逃途中被擒杀。

镜　鉴

　　狂妄自大的蠢人是成不了大事的。

改元的事。"

刘守光大怒，把礼仪表文扔到地上，说道："天下大乱，豪杰争抢，朱温、杨渭、王建、李茂贞哪一个不是在自己占据的地方称帝建号，他们兵马没有我强，又天天打仗。我大燕地方有两千里，战士有三十万，边境无事，境内安定，我要做河北的天子，谁能禁止我？尚父有什么值得做的。"

他不顾手下劝阻，索性自称为大燕皇帝，行郊天大礼，改元应天，足足过了一把瘾。

晋王李存勖知道后，既惊愕又好笑。他回太原告诉监军张承业，张承业也忍俊不禁，说："恶不积不足以灭身，老子说'如果要抢他的，就要先给他。'刘守光如此猖獗，马上就要灭亡了，咱们派个使者去祝贺一下，愚弄一下他，让他再骄傲些，咱们就可以把他定的鼎抢回来了。"

李存勖依言照办。

刘守光八月份称帝，李存勖在十二月份便派大将周德威率精兵三万攻打大燕，仅用两年时间便扫平全燕，生擒刘守光父子，斩于太庙。

释评

王朔先生著名的小说《过把瘾就死》，用在刘守光身上倒恰如其分。

西汉初年，南越王赵佗在南越称帝，对前来责问的汉使说："吾闲来无事，称帝以自娱耳。"令人瞠目结舌，原来称帝还有消遣娱乐的功能。

刘守光之称帝，其实和赵佗一样，都是关起门来封王，自娱自乐而已。况且他声称要做河朔天子，而不是四海天下的天子，看来他的狂妄还有很大的局限性。

刘守光所说朱温、杨渭、王建等人的情况也是实情，五代时期就是这样，只要有十七八个人，七八把刀，再占领一座四面透风的土城，就

五代越窑青釉执壶

敢立地称王。当然,王得快,"亡"得也快。

晋王李存勖当时正全力攻打后梁朱温,根本腾不出手来招呼刘守光,所以对刘守光要求尊为尚父这样狂妄得出格的事也答应照办:一是让他骄傲些;二是免得他在自己背后捣乱,拖自己的后腿,用的也是愚敌、骄敌之策。一到与后梁的战局有所缓和,李存勖便马上派兵扫平大燕,清除自己身后的祸患,这对他以后能毫无后顾之忧地对后梁决战有极为重要的意义。

要对付一个人,就要先想法让他骄傲;一个人骄傲起来就会变得很愚蠢,一个既骄傲又愚蠢的人还有什么难以打倒的吗?

原文

运诈得理,可以成晦焉。

译文

运用诈术只要合理适当,也可以达成"晦"这种状态。

【事典】杨行密"盲眼"平叛

杨行密是安徽合肥人,以盗贼起家,后又从军,趁唐朝末年天下大乱之际,逐渐壮大势力,占据了淮南全境,自称吴王。

杨行密的部将田頵在外打了胜仗,回来向杨行密报捷。吴王府中的将领以为田頵一定抢了许多金银财宝,都向他索求贿赂,田頵很生气,却也无奈。更为可气的是,一名狱吏也向他伸手要贿赂。

田頵大怒道:"难道狱吏预先知道我要入狱了,来向我收取贿赂?"他向杨行密汇报完事情后,径自出城,指着城门说:"我绝不再踏入此门。"回到防地后,便领兵造反。

杨行密的内弟朱延寿将兵在外,因杨行密瞧不起他,总是欺负侮辱他,便暗中和田頵通谋,要里应外合,杀掉杨行密。

杨行密知道田頵不过是外患,朱延寿却是心腹大患,自己又无法夺取他的军队,惊恐不安,便和自己的卫队统领徐温商量。

徐温也没什么办法,便回家求教自己的宾客严可求,严可求为他出了个主意。徐温把这个主意告诉杨行密后,杨行密由于实在想不出别的办法,只好依计而行。

他先是佯装头疼眼花,然后便声称看不清东西。朱延寿知道后,唯恐有诈,便派使者到王府中,假称奏事,实则是试探虚实。

杨行密看到张三便说是李四,看到李四便喊王五,使者们回到军中都说吴王眼睛确实是瞎了。

朱延寿依然不敢相信,他写信给姐姐朱夫人,让她设法查清杨行密是否装瞎。

府中的奴婢们听说主人的眼睛看不见东西了,便开始偷东西的偷东西,偷懒的偷懒,朱夫人也不禁止,倒用此来试探杨行密。

杨行密每天跌跌撞撞,不是撞在柱子上,就是撞在门上,头撞得伤痕累累。他看到奴婢们胡作非为,更是恍如不见,朱夫人也依然不敢深信。

杨行密有名爱妾,早和一个俊仆有情,只是一直没有机会。她倒是相信杨

杨行密

　　五代十国时期吴国的建立者。唐末响应黄巢起义而被俘,获释后为唐朝州官,先后升牙将、庐州节度使,与当时割据势力混战数年,后又与梁、越争战,数败朱温,天复二年(902年)被封吴王。

镜　鉴

　　以苦肉计蒙蔽对手,往往便捷而有实效。

行密是双目皆盲了，便在杨行密眼前与仆人亲亲热热，卿卿我我。她看杨行密端坐一旁完全没反应，更加胆大，索性在他面前公开淫乱。杨行密依然端坐如入定老僧，对眼前的淫乱场景无动于衷。

一直严密窥视杨行密的朱夫人见到了这一幕后，确信杨行密不是装出来的，便写信告诉朱延寿。

这天杨行密在朱夫人房内，竟一头撞在梁柱上，头破血流，朱夫人为他擦拭头上血迹。杨行密说道："我本来要干一番大事业，却有心无命。如今不幸失明，儿子们都还幼小，不能担承起军府的事，你请三舅回来，我把这府交付给他，我就可以安心地度完余生了。"

朱夫人大喜，马上写信给朱延寿，杨行密自己也派使者去军中请他，暗地里却叫徐温做好准备。

朱延寿得信后并不怀疑，便跟随杨行密的使者一同回府。杨行密到寝室门口迎接他，徐温则率卫士从后面擒住朱延寿。

杨行密杀掉朱延寿兄弟，又把朱夫人赶出家门，再把那一对奸夫淫妇也问斩以泄恨，重新掌控军队，很快就平息了田頵的兵变。

释评

汉高祖刘邦的功臣、绛侯周勃曾被诬下狱，出狱后慨叹："我曾将兵百万，却哪里知道狱吏的尊贵！"其实狱吏是最可怕的，否则法律也就失去了威慑性。

田頵因一狱吏而造反，不过是因狱吏而想到了牢狱之灾，其反也是很正常的。而一狱吏不是向囚犯，而是向功臣索贿，真属匪夷所思。

杨行密一向以宽容爱士受到部下的拥护，然而宽容到这等程度，就只能说是放纵为患了。

在内忧外患齐至，又失去了对军队的控制权后，杨行密无奈只得装瞎，然而一个好好的人骤然害此大病，也很难取信于人，何况身边还有一

五代白胎剔花瓶残部

个严密盯防的暗探。

杨行密不愧是盗贼出身，有狠劲，更有忍劲。看错人，走路撞东西，不去管奴婢们的胡作非为，这都是常人能装出来的，所以也无法解除朱氏姐弟的疑心。

然而坐视心爱的女人与奴仆淫乱，却依然不动于心，神态也无丝毫变异。这等忍劲和定力绝不是一般人能做到的，只能称之为"忍人"。

宋氏姐弟败在这等"忍人"手里，也实在不冤枉，因为一般人只能以常理来判断事情，而杨行密这等"忍人"却是以常理难以测度的，任谁都会栽在他手里。

原文

直道长而难行，歧路多而忧亡羊，妙心辨识，曲径方可通幽。

译文

笔直的大道漫长而又难以达到终点，小路众多却又使人茫然不知所从。只要细心观察思考，小路才是到达终点最快捷、最省力的途径。

【事典】李林甫的曲径通幽

唐玄宗开元初年，李林甫因是世家子弟，得以任千牛直长。他和宰相源乾曜的儿子关系很好，便托他向他父亲要求得到司门郎中这个职位。

源乾曜不屑地说："郎中需要既有才能又有名望的人来担任，李林甫哪是这样的材料?"却也不好一点面子不给,便把李林甫迁升为东宫谕德。

李林甫宦海沉浮,倒也逐步提升。可他嫌这样太慢,他需要的是平步青云,一步踏到宰相的阶梯上。

可是他在朝廷里并没有上可通天的关系,找来找去倒被他找到了一条途径,去和已是半老徐娘的裴光庭的夫人武氏私通。

裴光庭当时任侍中,也是宰相。李林甫的家人朋友都很为他担心,更不理解,劝他说:"你是世家子弟,虽非豪富,美妾艳婢还是买得起的,何苦去和一个上年纪的女人鬼混。她丈夫又是宰相,一旦事发可是掉脑袋的事,你这是图的什么?"

李林甫却不听劝,天天和武氏打得火热。也不知是两人掩饰得好,还是裴光庭根本不在乎,两人始终未东窗事发。

不久,裴光庭去世,两人更是肆无忌惮,武氏竟想让李林甫接替死去的丈夫在朝中的职位,也就是宰相,而且还很有办法。

原来当朝第一红人高力士原本是武三思的家奴,而武氏就是武三思的女儿。武氏找到高力士,死缠硬磨,非逼着高力士举荐李林甫为宰相。

高力士顾念旧主情谊,又禁不住武氏的死缠烂打,只好答应想办法。当时朝中的日常事务都是由高力士代替玄宗处理,但他为人谨慎,任命宰相这样的大事,他不但不敢代劳,连向玄宗开口推荐都不敢,只能等待时机。

因裴光庭死后,宰相位置有一空缺,玄宗便征询宰相萧嵩的意见。玄宗

李林甫

　　唐朝宗室,官至宰相,专权十七年。李林甫虽处理政事亦能因循法典,但为了一己之私排挤贤能,闭塞言路,直接导致纲纪混乱。

镜　鉴

　　大路不通,唯有独辟蹊径。

对萧嵩提出的几个人选都不满意，便自己决定任命韩休为相。

高力士侍奉玄宗左右，知道后马上通知武氏，并告诉她该当如何，武氏马上又告诉李林甫。

李林甫第二天一上朝，便上荐章，极力赞美韩休的才能和品德，请求皇上任韩休为相。

唐玄宗很感惊讶，没想到有人和自己的心思吻合，对李林甫平添几分好感。

过了几天，玄宗正式下诏任命韩休为相。韩休并不知道是皇上自己任命他为相，还以为这全是李林甫大力推荐的功劳，对李林甫感激涕零。

所谓"投我以桃，报之以李"。韩休上任后，便也极力推荐李林甫才能超卓，正是宰相的不二人选，高力士也在玄宗左右巧妙地为李林甫说好话，玄宗不久又任命李林甫为礼部尚书，同中书门下三品，也就是宰相了。

释评

李林甫在朝中没有强有力的靠山，便转头走女人的路线，找的却是武氏这位半老徐娘。

武家在武则天、唐中宗时代确是风光无限，男封亲王，女封公主，若在那个时候，李林甫想私通武氏也没这可能，因为他根本接近不了武家这样显赫的门庭。

唐玄宗发动宫廷政变，诛杀韦后、安乐公主，武氏家族也从高峰跌入低谷，成为人人厌弃的废姓。李林甫能顺利勾搭上武氏，就是因为他烧的是"冷灶"。

唐代蓝釉双耳壶

然而人们忽视了一个细节：武姓虽然被废，武氏的家奴却红得发紫，李林甫就是用烧"冷灶"的方法来打通"热门"，果然一试即灵。只可怜韩休被李林甫用

"买空卖空"的手法套进去，全心全力为李林甫谋求了宰相职位。

抛开道德的善恶，李林甫心机之深和权术之精在古代奸臣榜中也是无人可比的。唐史称他"不学无术，出言鄙陋"，却能专权二十多年，把一代明君玩弄于掌上而使之不觉，看来小人之才和君子之才是两种根本不同的学问。

诈以求生，晦以图存。非不由直道，直道难行也。

用诡诈来求生，用晦来保全自己。这并不是不走正道，而是因为正道根本就行不通。

【事典】叔孙通的变通术

叔孙通是秦二世时的儒士，被任命为待诏博士。

陈胜、吴广揭竿而起，天下纷纷响应，秦二世听说后，也很是忧虑，便召集待诏博士和儒生们询问方略。

秦二世问："由楚地来的戍卒攻占了城池，先生们认为该当如何？"

三十多名博士和儒生异口同声地说："臣子造反，这是不能赦免的死罪，希望陛下赶快发兵讨伐。"

二世听后，勃然大怒，脸上的神色都变了。

叔孙通上前说："大家听说的都不对。如今天下合为一家，先帝毁掉郡、县的城墙，销天下的兵器，向天下表示不再用兵打仗了。况且上有圣明天子，下有完善的法律，人人尽职守法，四海安宁，哪里有人想造反呢？

这不过是些偷鸡摸狗的小贼罢了,何足挂齿,各郡的守尉很快就可以把他们抓获,根本不必担心。"

二世转怒为喜,笑道:"先生说得很对。"

博士儒生们脑筋灵活的很快来个急转弯,附和叔孙通,说是盗贼作乱;脑筋僵硬的便依然坚持说是百姓造反。

于是二世便把说成造反的人都关进监狱里,罪名是夸大事实,诬蔑圣世;反应灵活的人都不问罪;赐给叔孙通二十匹帛,一件衣服。

叔孙通回到馆舍后,跟随他的儒生们都问:"老师今天为什么说的都是谄媚奸谀的话?"

叔孙通惊魂未定,摸着兀自怦怦乱跳的心,说了一句当年孔子遇见盗跖时说的名言:"我几不脱于虎口。"就是说差一点没能从虎口脱身。

叔孙通见暴秦败亡已定,继续留在朝中必遭杀身之祸,便带着儒生们逃出咸阳。

他先是投奔项梁,项梁亡后又侍奉楚怀王。

后来在项羽军中,汉王刘邦从汉中反攻项羽,叔孙通又投降刘邦。

刘邦最讨厌儒生,认为儒生们只会穿着宽大衣服,戴着高高的帽子,装模作样,说些不着边际的空话废话来骗取官职俸禄。所以见到儒生,他便把他们的帽子摘下来,往里面便溺,以羞辱儒生。

叔孙通知道刘邦的脾性,便脱掉儒装,改穿短小贴身的衣服,刘邦很是高

叔孙通

秦末汉初儒生。秦朝以文学征为博士。秦末从项梁反秦,又从楚怀王,怀王徙长沙,留事项羽。曾协助汉高祖制订汉朝宫廷礼仪,司马迁尊其为"汉家儒宗"。

镜　鉴

愚忠而身死,不如媚上而求生。

兴。叔孙通既不向刘邦宣讲儒家学说，更不向人推荐自己的学生，而是向刘邦推荐那些盗贼出身的壮士。刘邦更是高兴，拜叔孙通为博士，号稷嗣君。

叔孙通的学生们饱受冷落，见自己的老师根本不把自己放在心上，反而偏向外人，都暗地里骂叔孙通："我们跟随先生多年了，幸好跟随先生投降大汉，如今不推荐我们做官，反倒天天推荐那些狡猾的盗贼，这是什么道理？"

叔孙通听到后，便对学生们说："汉王正冒着刀林箭雨争夺天下，你们这些儒生能上阵杀敌吗？所以我先推荐那些能斩杀敌将、夺敌战旗的勇士，你们等着看吧，我并没忘记你们。"

刘邦平定天下后，建立西汉王朝，跟随他一起定天下的都是没有知识的武夫，更不懂什么规矩，在朝堂上喝酒争功，醉了就大喊大叫，甚至拔剑砍殿上的柱子。

刘邦看着乱糟糟的景象，也很头痛，便想立点规矩，让功臣们老实些，否则这样闹下去也太不成体统了。

叔孙通猜到了刘邦的心思，知道时机已到，便对刘邦说："儒家虽不能争夺天下，却善于守成。臣愿招集鲁国的儒生，和臣的弟子们一起制定朝廷礼仪。"

刘邦同意后，叔孙通便和鲁国的儒生以及自己的学生一起，斟酌古代和秦朝的礼仪制度，因时制宜，制定了一套切实可行的礼仪制度。

从此，大臣们上朝，都严格遵循礼仪，稍有越轨便被一旁监视的御史拉下惩治，人人心中畏惧，大气也不敢出，更不用说酗酒闹事了。

刘邦看着昔日和自己并肩的功臣们匍匐礼拜在自己脚下，真如白日登仙一般，说不出的快活受用，慨叹道："我直到今日才知道天子的尊贵啊！"

他迁升叔孙通为太常，又赐金五百斤。叔孙通这时才提出："臣的学生们跟随臣多年了，又和臣一起制定礼仪，希望陛下给他们封官。"

刘邦此时已从心里喜欢儒生了，便把叔孙通的学生们都封为郎官。叔孙通又把刘邦所赐的五百金都分给学生们，学生们都欢天喜地，夸赞叔孙通说:"叔孙老师真是圣人啊!"

释评

　　儒家讲究"杀身成仁",两千多年来已成为儒家弟子的座右铭了。然而并不是杀身就能成仁,如遇到盗跖这样的凶徒、二世这样的暴君,虚与委蛇,甚至曲媚求生都是智慧的体现。如果偏要拿鸡蛋撞石头,身是被杀了,仁却成不了,空死一场,毫无意义。

　　史学家范晔在《后汉书》中说:"义重于生,舍生可也;生重于义,全生可也。"这句话最得"杀身成仁"的要旨,就是说一定要权衡是否死得值得,不审度"义"和"生"的轻重关系,一味杀身只是做无谓的牺牲。

　　叔孙通诔言献媚,以求得脱身,固然有小人嘴脸,但仍不失为一代儒学宗师。鲁国的儒生嘲笑他快要侍奉十个主子了,都是靠当面奉承主子来求得亲近富贵,羞与之同列。叔孙通并不反驳,也不以为羞,反而骂鲁国儒生为"鄙儒"。因为他知道自己的学说终将大用于天下,光辉于百代,巧诈、诔奉都是为了保存自身,不肯做无谓的牺

西汉玉器仙人骑马

牲,终于奠定汉家礼仪制度,开启儒家复兴之门。

　　非仅叔孙通有小人嘴脸,他的学生们也是怨则骂,喜则诔,小人气十足,然而却也可爱,因为他们是活生生的人,能让人感受到新鲜活泼的气息。

　　后代的那些儒家门徒,尤其是那些道学家整日板着面孔,疾言厉色,装出无限的威严,俨然如仁义道德的化身,殊不知都是一具具活僵尸,还没有戏台上的木偶灵活可爱。而叔孙通和他的学生们才是真正的"儒家本色"。

原文

操以诈而兴，莽以诈得名，诈之为术亦大矣，虽贤人有所不免。

译文

曹操凭借诡诈而兴霸业，王莽凭借诡诈而得到了名声，诡诈作为一种谋略，功效是很强大的，即使贤能的人也不免要使用。

【事典】王湛借痴成名

王湛是西晋开国功臣王浑的弟弟，他平时寡默少语，状类痴愚，遂以痴著名。

王湛的父亲死后，王浑和儿子们都看不上王湛，对他也极为冷淡。王湛便在父亲的坟墓旁搭了一间茅屋，住了进去。

王浑的儿子王济是当时的名士，他更是不把王湛当叔叔看待，每次扫墓径去径回，也不去看看叔叔。王湛知道他来，也不去接近他，偶尔路上撞个对面，都只是冷淡地寒暄一两句。

后来，王济有一次去扫墓，忽然心血来潮，便去看望叔叔，并问起他的近况。王湛不仅对答如流，而且声音的音调极美。

王济大出意外，又和他纵论天下大事。王湛语出惊人，分析事情鞭辟入里。

王济从小就听说叔叔痴愚，而今骤然间见其高谈阔论，肃然起敬。他住到叔叔的茅屋里，把酒长谈，夜以继日，越谈越是心惊，越谈越是心喜，一连住了好几天，自叹不如远甚，慨叹道："家有名士三十年却没人知道。"

他临走时，王湛送到门口。王济带来的马匹中有一匹烈马，很难驾驭。王济有心再试一下叔叔的深浅，便问道："叔叔也懂得骑马吗？"

王湛说："还算懂一些吧！"他接过烈马的缰绳，跃身上马，控御自如，而且骑马的姿态也极为美妙,比那些有名的骑士技艺还要高超。王济更是觉得叔叔多才多艺,高深莫测。

王济回到家后,王浑奇怪地问:"你怎么耽搁了这么多日子?"

王济回答说:"儿子今天才得到一个叔叔。"

王浑更是奇怪,便问他原因。王济便从头到尾细说一遍,极口夸赞王湛是名士。王浑不服气地问:"比得上我吗?"

王济委婉地说:"比我强多了。"

晋武帝司马炎也知道王湛的痴名,并且总喜欢拿此事与王济开玩笑,每次见到王济,总是打趣说:"你那位痴叔死了没有?"王济总是无言以对。

此番王济进宫,司马炎照例打趣他:"你家那位痴叔死了没有?"

王济心雄胆壮,昂然说道:"臣叔不痴,其实是位名士。"便把自己和王湛的交谈略述一遍,盛赞叔叔的才艺和美德。

司马炎也颇出意外,问道:"你叔叔比得上谁呢?"

王济答道:"山涛之下,魏舒以上。"

从此,王湛由痴愚而成为名闻天下之士,后来当了汝南内史。

释评

历代重文章,魏晋却崇尚"玄谈",一句两句的名言出口,马上就是名士,而且非如此不能成名,所以人人闭窗苦读老庄,磨炼嘴皮上的功夫,终因"清谈"而误国。

王湛的痴愚自然是煞费苦心装出来的,就是要把自己在众人心目中的形象降至最低点,正是老子所说"良贾示人以虚"的原理。然后在庐墓旁韬光养晦,苦读老庄,暗察事理,积攒实力,磨炼本领,然后突然爆发,自然会给人的心理造成巨大的冲击,从而一掷定终身。

这就和名将用兵一样,出老弱于前,屡战屡退,示敌以不能,却暗伏精兵猛将于后,待将敌诱至己方势力圈后,一举予以全歼。

处世、从商其实和用兵打仗一样,只是因为战争凶险,非胜即败,所以时刻注意用谋用计。

而为人处世没有这种危险,也就缺乏动力和压力,使用谋略的人就少,成功的也少。假若有人真把人生当做战场,处处善用谋略,这个人不是伟人也一定会成为名人。当然,为人处世一定不能有害人之心,这样才能善终。

原文

厌诈而行实,固君子之本色;昧诈而堕谋,亦取讥于当世。

译文

讨厌诡诈而实实在在行事,这固然是君子的本色;然而不识诡诈陷入别人的奸谋中,也是要被当世人讥笑的。

【事典】和士开以退为进

和士开是北齐世祖高湛的宠臣。他为人奸佞狡诈,引导高湛日日纵酒淫乐,不理国事,自己得以从中招权纳贿,结党营私。他又和高湛的皇后娄氏私通,通国皆知。高湛却不以为意,对他宠信如故。

高湛死后,后主即世,娄太后临朝执政。久已不满和士开专权乱政、秽乱宫廷的亲王重臣集体发难,要求把和士开逐出朝廷,贬到外省为官。

娄太后不听,亲王大臣们也坚持不退,双方各不相让。第二天,亲王大臣们又到朝中要求太后贬逐和士开,态度更为坚决。

娄太后无奈,只好任命和士开为兖州刺史,等葬完齐世祖高湛后就让他去上任。

亲王大臣们一俟葬事完毕,就督促和士开上路。娄太后舍不得和士开离去,要留他等过了百日再走,亲王大臣们坚决不允许,娄太后也只得命和士开上路。

和士开知道一离开朝廷就永无回头之日,说不定在半路上这些人就会逼着太后下诏处死自己,一时间忧惧参半,想了一夜才有了办法。

和士开用车拉着两名美女和一副珍珠帘子去拜访娄定远,娄定远也是极力主张驱逐和士开的大臣之一。

和士开见到娄定远,故意装出诚惶诚恐的样子,流泪说:"诸位权贵要杀士开,全靠大王保护之力,保全了我的性命,还任命为一州刺史。如今向您辞行,送上两名美女、一副珠帘,聊表谢意。"

娄定远没想到无功却受禄,见到绝色美女和珍珠帘子,更是喜出望外,问和士开:"你还想还朝吗?"

和士开说:"我在朝内太不安全,如今能出外任职,实在是遂了心愿,不想再回朝中了。只请求大王保护士开,长久担任兖州刺史就心满意足了。"

北齐释迦牟尼坐像

娄定远以为和士开贿赂自己只是求自己保护他,便信了他的鬼话,满口答应。

和士开告辞,娄定远送他到门口。和士开说:"我如今要到远方去了,希望能有机会觐见太后和皇上。"

娄定远知道和士开和太后的奸情,也没往深处想,以为和士开不过是想和太后叙叙情而已,便答应了下来。

在娄定远的安排下,和士开得以见到娄太后和齐后主。

和士开痛哭流涕地说:"在群臣之中,先帝待臣最为恩厚。先帝忽然驾崩,臣惭愧不能追随先帝于地下。如今看朝中权贵的意思,并不只是要害臣,而是要剪除陛下的羽翼,然后行废立大事。臣远行之后,朝中必有大的变故,倘若太后和陛下有所不讳,臣有什么面目见先帝于地下?"

娄太后、齐后主被他这一番危言吓得魂不附体,失声痛哭,娄太后便问和士开应当怎样对付。

和士开爬起身,掸掸衣服,笑道:"臣在外固然没办法,如今臣已在宫中,需要的不过是几道诏书而已。"

娄太后、齐后主视他为救星,一切任他所为。和士开便草拟诏书,把娄定远贬为青州刺史,其他大臣也都贬逐得远远的,对亲王则下旨严词谴责。

亲王大臣们见和士开已和太后、皇上打成一片,知道大势已去,只有怅然唱叹而已。

一直带头坚持贬逐和士开的太尉、赵郡王高睿心有不甘,再次进宫找太后理论,被娄太后命卫士在宫中永巷内拉杀。

娄定远此时才知上了和士开的当,只好把和士开送他的两名美女和珠帘都还给和士开,又把家里的珍宝拿出来贿赂他,这才免除后祸,真是"赔了夫人又折兵"。

释评

鱼不可脱于水,龙不可脱于渊,人不可脱离权。

一个久握重权、身居高位的人一旦失去权柄就会惨不可言,即便想成为平民百姓,过贫苦下贱的生活都不可能。其实权力和富贵都是双刃剑,控制得宜便身享荣华,太阿倒持则大祸立至,先前所拥有和享受的,也正是转头来毁掉自己的。

和士开虽有智计,却已脱离权柄。娄太后和齐后主孤儿寡母,心无主见,高睿等重臣借机切入其中,逼迫娄太后贬逐和士开,娄太后迫于众议,又自知声名不雅,也只好忍痛从命。眼看大局已定,不料娄定远见利忘义,又头脑简单,把大家甘冒万险、拼决生死从和士开手中夺来的权柄又归还给他,不仅自己遭殃,还连累赵郡王高睿白白断送了性命。利欲之害人每每如此。

原文

是以君子不喜诈谋，亦不可不知诈之为谋。

译文

所以正人君子即便不喜欢使用诡诈的计谋，却也不能不知道这种手段的使用方法。

【事典】 王濬的惭愧

王濬是西晋平吴的主将，也是第一个攻入建安、迫使孙皓出降的功臣。

当时王濬归属王浑节制，王濬率楼船经过王浑的驻地时，王浑怕他夺了平吴首功，派人命令他停止前进，会同大军一同进发。

王濬明白王浑的心意，谎称江上风太大，战船无法停下，顺流直下，遂立大功。

王浑先是胆小如鼠，拥重兵观望不进，待见王濬立下大功，又心生嫉妒，便上书朝廷，诬蔑王濬不服从主帅军令，又把孙皓宫廷中的宝物抢掠一空，甚至诬蔑他有占据东吴、自立为王的野心。

王濬不服，连章自辩，和王浑争论不休。晋武帝司马炎倒不昏庸，常为二人和解。

王濬回师后，王浑的党羽便上奏朝廷，说王濬违犯诏令，不听主帅节制，又罗织其他罪名，要求把王濬下狱治罪。

司马炎置之不理，封王濬为辅国大将军、襄阳县侯，赏赐也算优厚了。

王浑耻于首功被王濬夺去，和王濬争功不已。王濬没想到立了大功，反遭挫辱，心中愤恨，每次见到司马炎，便陈述自己率军平吴的经过和王浑父子及党羽诬陷排挤自己的情况，有时不胜激愤，径自拂衣而出。司马炎体谅他的苦处，也不怪罪。

益州护军范通劝王濬说："您建立的功勋是至美了，却不懂得如何身处功名。假如您回师之日，辞绝官爵，以百姓的身份回到自己家中（角巾东第），根本不提讨平吴国的事。如果有人问起，就说：'皇上的威德，群帅指挥得力，老夫有什么功劳。'这是蔺相如折服廉颇的方法，王浑羞愧也要羞死了。"

王濬恍然大悟，惭愧地说："邓艾平定蜀国，反遭杀身之祸。我也是怕大祸临头，才上书朝廷，在皇上面前亲口述说，并不是为了争功，而是为了免祸。不过您说的这方法是好，我一时情急，没有想到而已。"

释评

羊祜曾说："功名之际，臣实难居。"西晋平吴的准备工作都是羊祜一手完成的，晋武帝想让羊祜躺在床上监护众将，指挥平吴战役，好使这不世之功归于他。羊祜却坚辞不肯，推荐杜预代替自己。试观王濬身建奇功反倒要为免祸日日唇焦舌敝、忧虑重重，弄得焦头烂额，羊祜可谓有先见之明矣。

功高不赏，反而被诛，在情理上不通，事实上却每每如此。并非都如韩信那样功高震主，也不是人主不明，而是嫉妒的人太多，罗织罪名、恶语诬蔑无所不用其极，所谓"众口铄金"，想要保身也是一件很难的事。

王濬的争功，不是为了得到丰厚的赏赐，而是鉴于邓艾平蜀得祸，为求自保而已。所幸晋武帝宽厚明察，不信谗言，否则王濬争功保身适足以祸身也。

范通所说的"功成之日，角巾东第，口不言功"，把功劳上推皇上，下推群帅将士，这才是功臣身处功名之际的不二法门。人能如此，也就不怕功高震主了。假使韩信能做到这一点，也可以和萧何、张良一样，成为汉室宗臣，功名始终，子孙世世富贵，传国无穷，焉有被斩于宫中之祸？

"祸由己作"，历代开国功臣大多不得善终，也都是因不善于身处功名之故。真都如范通所说的那样，即使遭逢桀纣，也可善保功名。东汉云台二十八将功成之后便释去兵权，以侯爵归第，每日上朝退朝而已，个个子孙富贵，与东汉相始终，这就是明证。

功臣并不难当，只是功臣大多不愿这样做，总是贪恋权势而已。已处"亢龙"之势，还总想百尺竿头更进一步，皇上毕竟不肯因你功劳大就让位给你，所以剩下的就只能是"有悔"了。

原文

人皆喜功而诿过，我则揽过而推功，此亦诈也，卒得功而无过。

译文

人们都喜欢归功自己却把过错推给别人，我却把过错揽到身上，把功劳推给别人，这也是一种诈晦，却最终能得到功劳而没有过错。

【事典】韩安国的持重

汉武帝元光三年（公元前 132 年），魏其侯窦婴的门客灌夫因酒醉得罪了丞相武安侯田蚡，田蚡便搜集灌夫在家乡的种种罪状，锻炼成狱，罪当斩首。

窦婴上书论救，便和田蚡争执不下。窦婴是景帝时窦太后的侄子，也是平定吴楚七国叛乱的功臣。田蚡虽然无功无能，却是田太后的弟弟，仰仗太后的威势，汉武帝也要逊让三分。

窦婴救不下灌夫，便索性攻击田蚡，想要拼死攻击田蚡以达到救出灌夫的目的，田蚡也转而攻击窦婴。

汉武帝对两人的相互攻击也很头痛，他心里偏向窦婴，却迫于太后，无法怪罪田蚡。他大集廷臣，辩论两人的是非，希望大臣们能为窦婴说句公道话，自己借此台阶，为两人和解。

大臣们都认为窦婴是而田蚡非，却畏惧田蚡权势无人敢出口发言，只有主爵都尉汲黯认为窦婴对。内史郑当时开始也为窦婴说话，后来却不敢坚持。时任御史大夫的韩安国两不得罪，认为窦婴说的也在理，丞相田蚡处置灌夫也不为过，请皇上圣裁。

汉武帝等了半天，全然不得要领，气得愤然骂道："让你们评论是非，却一个个局促如驾辕的骡驹，我一并斩了你们！"

退朝后，田蚡把韩安国叫到自己车中，责备他说："不过是个老得没毛的家伙，你怕他什么？在朝中还要首鼠两端？"韩安国诡词辩解说："您为何不摆出点谦逊的姿态？魏其侯毁损您，您就把丞相和侯爵的印绶归还皇上，对皇上说：'臣幸得因后族而任事为相，无功而得富贵，确实不称职，魏其侯说臣的缺点都对。'这样，皇上必然因为您谦逊而欣赏您，绝不会罢免您的相位。魏其侯听说后，还不羞愧地关起门嚼舌自尽？如今人家毁损您，您又毁损人家，如商贩女子互相口角、争论是非一样，太不顾自己的身份体统了。"

田蚡听完后，后悔道："我和他争论

韩安国

　　字长孺，西汉大臣。文精武备，能言善辩，初为梁孝王大夫，七王之乱时，始闻名于当世。武帝时，任御史大夫。后，匈奴入侵，韩安国兵败，被掳千余人，抑郁而亡。

镜　鉴

　　说话应讲究技巧，否则祸从口出。

时太着急了，没想到这一招，你怎么不早提醒我？"

后来汉武帝终因太后的压力，把窦婴和灌夫都斩首，心里却记恨上田蚡了。

释评

窦婴和田蚡都是外戚，然而窦婴正直，爵位富贵都是凭军功获得的，所以为众人所推服。田蚡却无能无功，只因是太后弟弟，拜相封侯，至于因灌夫酒醉过失要把他斩首灭族，十足是小人得志便猖狂的嘴脸。

韩安国心里也是认为窦婴对，但他是贿赂了田蚡，由田蚡提拔到御史大夫的，势必不能公开说田蚡的坏话。如附和田蚡，违心地谴责窦婴，虽可保富贵，却得罪了皇上。田蚡责备他为何惧怕一个失去权势的秃翁，其实韩安国是怕皇上秋后算自己的账。而身为御史大夫，官至九卿之首，一句话不说自然也交不了差，便模棱两可，哪方也不得罪，把难题像踢皮球一样踢还给皇上。虽于脸面有损，却是保身良策。否则，偏向窦婴则大祸立至，偏向田蚡则遗祸将来，而又不能无所是非，便两不得罪以免祸。可见，韩安国深得处世要领。

至于他教给田蚡的以不争为大争，以退让为进取，甘受毁损而不自辩，正是受到对手攻击时最佳的防护良策。不过这是君子处世之道，田蚡本质上就是个小人，即使明白也做不到，何况他根本不明白。

功劳不敌权势，才能不如亲信，昔日的荣光更折换不来今日的权力。窦婴不明此理，忿争不已，便和灌夫同遭弃市之祸。然而他不顾家人的劝阻，宁肯为灌夫失去侯爵，却不料与之同死，也可谓"求仁得仁"了。

西汉马踏匈奴石刻

原文

君臣之间,夫妇之际,尽心焉常有不欢,小诈焉愈更亲密,此理甚微,识之者鲜。

译文

在君王和臣子、丈夫和妻子的关系中,尽心尽力地去侍奉也经常会有不欢快的事发生,使用一点诈谋反会更加亲密牢固,这道理很微妙,知道的人却很少。

【事典】上官桀转祸为福

汉武帝晚年多病,又遭罹太子之变,心中忧懑,常居寝宫不出。

上官桀任未央厩令,负责御马的喂养。他见武帝基本上闭门不出,也乐得偷懒,马喂得不勤,更不为马洗澡,御马一个个又脏又瘦,也没精神。

武帝一天病势稍愈,想到自己喜爱的龙马,便出来巡视,见状后大怒,说:"上官桀以为我要病死了,再也见不到这些马了?"便要把上官桀斩首。

上官桀吓得魂不附体,跪下叩头说:"臣闻皇上圣体欠安,日夜忧虑,寝食俱废,心思没放在马上,所以没能养好。"话未说完,便泪流满面,哽咽不能成语。

汉武帝听后,心头一热,觉得上官桀是太爱自己了,不仅不怪罪,反而提拔他为侍中,又迁官太仆,后来与霍光同受顾命,辅佐汉昭帝。

这是因为上官桀善用小计谋而稳固、改善了君臣之间的关系。另外夫妻之间因为施小谋而使关系更趋亲密牢固的,当推唐肃宗和其妃子张良娣。

唐玄宗晚年,因安史之乱逃到蜀中。太子中途留下,指挥众将平乱,在灵武称帝，为唐肃宗，遥尊玄宗为太上皇。

肃宗的妃子张良娣狡黠，善于逢迎。肃宗开始时兵微将寡，四周都有安禄山的叛军，每天晚上睡觉时，张良娣总挡在肃宗的前面。肃宗觉得好笑，对她说："抵挡敌人不是女人做的事。"

张良娣却说："如果有敌人猝然进犯，妾以身抵挡，您就能从后面逃走了。"

肃宗虽不以为然，却也大为感动。

张良娣在灵武产下一子，三天后就起身，亲手缝制战士的衣服。肃宗怕她劳累致病，不让她做。

张良绨却说："眼下形势危急，妾身哪能安心静养，缝几件战衣，也能为陛下平乱尽点心力。"肃宗更为感动，认为她不但爱自己，而且忧国不顾身，是难得的深明大义的贤后，便对她言听计从。

张良娣逐渐干预政事，和宦官李辅国表里为奸，把持了朝政，肃宗发现后已经晚了，只好任凭二人架空自己。

后来张良娣又和李辅国争权，趁肃宗病重之际，想发动兵变除掉李辅国，反被李辅国先下手杀死。重病中的肃宗因二人在宫廷中大起干戈，竟惊悸而死。

释评

汉武帝恢弘大度，为一代英王，然而喜怒无常，常因一言一事之微而诛杀大臣。司马迁因为李陵说了一句公道话便下蚕室，郅都也因武帝出巡时道路修得不好而被处死。

上官桀因武帝病重，不勤于职事，按武帝的脾气自然是要杀无赦，因为他认为上官桀是因自己生病而幸灾乐祸，有盼望自己死的意图。

上官桀被武帝抓个正着，眼见不活，急中生智，诈称是忧虑皇上的龙体，心思不在养马上，以致把马饿瘦了。

也许是他感情逼真，表演得也到位，聪明的汉武帝也被蒙骗住了，不但不治他的罪，反而视为心腹，后来竟成为顾命大臣，险些酿成大祸。

张良娣之举与上官桀一样，都是十足的小人伎俩。张良娣的故作姿态因处夫妇之间，更易被人信任，到后来权柄在手，不但不再爱君奉国，反而处处胁持皇上，露出狰狞面目。

拍马屁固然是小人伎俩，正人君子既不齿更不屑为之，每愤恨小人之无耻，又嘲笑受拍者的糊涂，然而临到自己被拍，一样陶陶然不辨贤愚，小人之往往得志便是因此。

其实君子有时也很会拍马屁，唐太宗手下的魏徵，历来被尊称为古今谏臣第一，其实却是用强谏来拍太宗之马屁。

何以言之？魏徵曾在李密和太子李建成手下任职，都没有直谏强谏的美名，原因是强谏就要被砍头。

转到唐太宗手下，魏徵便强谏不休，其实是吃准了太宗喜爱这一手，即便有时把唐太宗顶得忍无可忍，他也有预伏的手段，就是"君明则臣直"，意思是说您圣明我才正直。太宗希望得到的就是"圣明"二字，也就不能不容魏徵的强谏，反而越被他顶

西汉宝玉

撞就越高兴，因为这更能反衬出自己的"圣明"。

当然魏徵拍马屁是为国为民，与小人的拍马屁性质不同，但从技术上而言却是一样的，只是前者难度更大，不易被人觉察而已。

汉高祖刘邦曾戏弄周昌，骑在他脖子上问道："朕是什么样的君主？"

周昌转头答道："陛下是桀、纣一样的昏君。"

这才是强谏，而不是拍马屁！

原文

诈亦非易为也，术不精则败，反受其害，心不忍不成，徒成笑柄。

译文

诈晦也不是很容易做到的，技术不精湛就会失败，自己反要受到伤害，心里不够忍耐也做不成，只能成为别人笑话的把柄。

【事典】慕容翰诈疯归国

慕容翰是东晋初鲜卑族首领慕容廆的庶生儿子。他作战勇猛，又善于安抚民众，在当时有很高的声望，被任命为建威将军，和同母生的弟弟慕容仁、慕容昭并为名将。而慕容皝因是嫡生子，被立为世子。

东晋成帝咸和八年（333年），慕容廆病逝，慕容皝继位，后自称燕王，建立燕国。他继位之初，用法严峻，功臣将领心里都很不安。

慕容翰知道自己兄弟三人威名太盛，难容于嗣君，便对家人说："我受先父委任，不敢不尽自己的全力。幸而仰仗先父的神威，每战都能立功，这是上天眷佑我国家，并非人力所能做到的，而别人却认为是我的功劳，又认为我心雄才高难以制伏，我不能在家坐等大祸临头。"于是便和儿子出逃投奔段辽。段辽一向仰慕慕容翰的将才，对他很是重用。

第二年，段辽派弟弟段兰和慕容翰一起攻打燕国，慕容皝派慕容汗和司马封弈率兵抵挡，结果大败而逃。

段兰要乘胜追击，一举全歼，慕容翰怕因此一战而灭了燕国，便劝阻段兰，说前面一定有埋伏，慕容汗等败逃乃是诈败，是用来诱引己方进入埋伏圈的。

段兰也是名将，自然看得出诈败与真败的区别。他也隐约猜到了慕容翰的心意，遂不听劝阻，执意进军。慕容翰索性带领自己的人马调头而回。段兰孤掌难鸣，也只好怏怏返回。段辽知道后，自然猜疑慕容翰是"身在曹营心在汉"，假如是徐庶还不要紧，如果是慕容翰这样的大将，身处自己心腹肘腋之间，危险可就大了。于是段辽对他加意防范，更不予以重用。

咸康三年(337年)十一月，慕容皝以其弟慕容汗为质，邀后赵发兵共讨段辽。翌年三月，慕容皝率兵攻打令支以北诸城，段辽将追之，慕容翰深知段辽必败，便劝阻段辽。而段兰对上次慕容翰阻止追击一事耿耿于怀，大怒之下率兵追击，结果大败。段辽自此不断战败，最后逃奔密云山。慕容翰于是投奔宇文氏。

东晋胡人牵马陶俑

宇文氏首领宇文逸豆归非常嫉妒慕容翰的才能。慕容翰知其不容自己，又无法脱身，便整日酗饮，酒后便发出种种狂笑。后来他发了疯，有时竟躺卧在自己的便溺上。在路上遇到行人，他便跪地叩头伸手要食物。

宇文逸豆归先是怕他用诈，派人密查，一段时间后觉得不是装出来的，便不拿他当回事了。慕容翰便每天在外乞食，行遍了宇文氏的国土，把山川形势都牢牢记在心里。各处守关的士兵也根本不去注意这个疯子。

燕王慕容皝很感激慕容翰在关键时刻放了自己一马，又认为他只是怕自己不容他而出奔，并非叛乱，便有心召他回国。慕容皝于是派商人王车到宇文氏之领地做买卖以试探慕容翰的心迹。

慕容翰见到王车，苦于无法说话，便用手摸着胸口，点头示意。慕容皝知道后，高兴地说：

"慕容翰想要回来了。"

慕容翰用的是三石多的硬弓,所用的箭也长大。慕容皝便为他制造了合手的弓箭,埋在地里,上面画上记号,派人偷偷告诉慕容翰。

慕容翰知道后,趁人不备偷了几匹名马,带着两个儿子,去取出埋于地下的弓箭,便向燕国逃回。宇文逸豆归派骁勇的骑兵多人追赶,慕容翰说:

"我在你们国家客居很久了,如今想回归故国,现在既然上了马,就没有回头的道理。我以前的疯都是装出来骗你们的,我的武艺还和以前一样,你们不要逼我,免得自取死道。"

追兵们都很轻视他,根本不听,直前而上。慕容翰弯弓搭箭说:

"我一度在你们国家存身,不愿意杀死你们。你们在百步开外立一把刀,我用箭射刀环,如果一箭射中你们就回去,如果不中你们就上来抓我。"

追兵们不相信他有这本事,便在百步

东晋盘口壶

外立一把刀。慕容翰一箭正中刀环,追兵们吓得四散奔逃,唯恐被他的神箭射中。

慕容翰回到燕国后,慕容皝如获至宝,待他比慕容廆生时更为优厚。

释评

吕布辕门射戟,解了刘备的围;关羽过关斩将,回归旧主。慕容翰可谓兼而有之矣。

孙膑为逃避庞涓的毒手,诈疯以免祸,慕容翰的事与他的很相近。

诈病诈疯都是在受到怀疑、即将有大祸临身时所用的最后一招,既属不得已,也是没办法时的办法。方法是简单,但要装得比真的还像也不是件容易的事,既要演技上乘,又要有一股狠劲。孙膑当年不惜自食粪便,慕容翰也躺卧其中。若不是爱惜自己的才学未得展用,不愿埋没于地下,孰肯如此自辱,挥刀一决是何等的爽快!伟人也真不是容易当的。

慕容翰因避祸出奔,却犯了古人"出奔不投敌国"的忌讳,除非你铁了心要出卖自己民族的利益。慕容翰随即便尝到了苦头,既不得不和祖国作战,又处处想保全祖国,遂把自己置于危险的境地,不得不用装疯这样的下策来保全自己。假如慕容皝不派人接他回国,他岂不是要一直装疯到底,不过也许用不了三年五年,他也就由装疯变成真疯了。

他诈疯之际,犹不忘到处观察敌国的山川形势,倒显示出他作为名将的本色,但他的出逃之举毕竟还是不够慎重。

易曰:"趋吉避凶。"夫祸患之来,如洪水猛兽,走而避之则吉,逆而迎之则亡。是故兵法三十六,走为最上策。

避非只走也,其道多焉。最善者莫过于晦也。扰敌、惑敌,使敌失觉,我无患焉。察敌之情,谋我之势,中敌所不欲,则彼无所措手矣。居上位者常疑下位者不忠,人之情不欲居人下也。遭上疑时危,释之之道谨忠而已。

如若避无可避,则束身归命,惟敌所欲,此则不避之避也。避不得法,重则殒命,轻则伤身,不可不深究其理也。古来避害者往往避世,苟能割舍嗜欲,方外亦别有乐天也。避之道在坚,避须避全,勿因小缓而喜,勿因小利而动,当执定深、远、坚三字。

本卷精要

忍辱方能负重,许多时候,忍辱是众多贤人成就大业的先决条件。

忍,表面上看很窝囊,实际是柄无往而不利的武器,运用好这柄利器,便能建功名,取富贵,甚至得天下。

小人往往比君子更能忍辱,但却是无耻的,事情虽相近,性质却截然相反。

古有避事者,也有避世者,专看事与世的凶险程度。

原文

易曰:"趋吉避凶。"

译文

《易经》上说:"人应该奔注吉利的地方,而躲避开凶险。"

【事典】销毁证据办案的田叔

汉景帝时,窦太后最喜欢小儿子梁王刘武。汉景帝也喜爱自己的弟弟,出则同辇,入则同卧。梁王手下的侍中、侍郎、谒者等属官也都在宫中有名册,出入不禁,与汉宫的宦官没有差异。

汉景帝当时未立太子,一次和梁王对饮,有些酒意后,举杯说:"我千秋万岁后,当传位梁王。"

太后大喜,梁王也心喜不已,而侍宴的窦太后的侄子窦婴却说:"天下者,是高祖的天下,父子相传,这是汉朝的制度,陛下怎能擅自传给梁王?"

汉景帝自悔失言,以后不再提起,窦太后却大怒,免除了窦婴的官职,取消他入宫觐见的资格。

窦太后溺爱少子,见他太子做不成,便千方百计多赏赐他财物。梁王豪富,不要说各亲王不如,甚至梁王府中的金玉、金器比宫廷中还要多几倍。

吴楚七国反,各藩王跃跃欲试,响应者很多,只有梁王因是皇帝的同母弟,态度没有丝毫的游移。吴楚重兵攻击梁国,梁王派韩安国、张羽为将,拼命抵御吴楚的进攻。窦婴率朝廷大军赶到,却坚壁不战,准备用梁国消磨敌军的锐气,造成敌人的重大伤亡,自己乘敌之敝,就可一举全歼。

这计策倒也奏效,梁国以一国之力居然与吴楚七国的敌军鏖战三个月,不过也屡次陷入绝境。吴楚七国犯了"顿兵坚城"的兵法大忌,最后被窦婴所率官军一举平灭。

七国之乱平定后，梁国所杀伤、俘虏的敌人和官军一样多，而功劳更大。汉景帝大喜，觉得打虎真得亲兄弟，危难时方见真情，便赐给梁王天子专用的旌旗，让他在梁国内建立天子旌旗，出称"警"，入称"跸"。这些都是帝王专用，用来向四方夸耀梁王地位的崇高。

梁王立了大功后，窦太后在宫中家宴时又对汉景帝提出："皇上百年晏驾后，传位梁王。"汉景帝起身离席跪地说："遵命。"

大臣袁盎在一旁又以理力争，还是说父死子继的规矩，太后无力反驳，汉景帝也借机不再提起。

梁王眼见太子之位就要到手，却被袁盎轻轻一句话给弄得无影无踪了，对袁盎恨之入骨，便派刺客杀了袁盎。

汉景帝派人搜捕刺客，却一无所得，他估计一定是梁王所为，便派大臣田叔去梁国追

西汉铜鎏金马

查。梁王先前还死保刺客公孙诡、羊胜，后在韩安国等人劝说下，知道闯的祸太大了，便让公孙诡、羊胜自杀以灭口。

田叔到了梁国，梁国的属官倒是很合作，很快得到了所有证据，他回来的路上却把这些证据一把火都烧了。他手下的官吏大惊失色，问道："这都是好不容易得到的证据，烧了怎么向皇上交代啊？"

田叔笑道："留着这些才没法交代呢。你们放心，有我在不会牵连到你们。"

他手下的官吏都面面相觑，不知他此举究竟是何用意。

当时窦太后忧虑梁王的事，数日不食，汉景帝也很头疼。田叔空着手来见汉景帝，汉景帝问道："这事是梁国做的吗？"

田叔说："是的，犯的都是死罪。"

汉景帝心头紧缩，他最担心也最不愿看到的事终于发生了。他哑着

嗓子问:"证据何在?"

田叔答道:"臣都烧了。"

汉景帝不明所以,瞪大眼睛看着他。田叔又说:"陛下不要再查梁国的事了,事情到此为止吧。"

汉景帝问:"这是什么道理?"

田叔答道:"如果证据确凿,您就得用法律制裁梁王,可太后必然食不甘味,寝不安席,万一有个好歹,陛下岂不要担上不孝的恶名。如果您不制裁梁王,法律又成了空文,以后如何去约束他人,所以还是不问的好,况且臣已查明,都是梁王手下人干的,梁王并不知道,这些人也都已伏法被诛,梁王是清白的。"

汉景帝大喜,说:"你赶快进去告诉太后。"

田叔见到太后,也是说梁王并不知情,都是手下人背着梁王做的,已经依法处死,梁王与此没有任何干系。

太后大喜,心中的气也平复了,马上与皇上一起吃了一顿饱饭。

汉景帝慨叹道:"大臣还得是田叔这样懂得经术的人才能称职啊。"便提升田叔为鲁国相,让他教导鲁王。

释评

古代藩王中,能建立天子旌旗,出称"警"、入称"跸"的只有梁王一人,他被宠爱的程度更是无人可比。然而景帝仓猝削藩,导致七国之乱,如不是梁王忠心不二,以一国之力抵御住吴楚七国的猛烈进攻,景帝的龙椅是否能坐稳也很难说,至少要天下大乱,众生涂炭。从这点讲,梁王对景帝、对苍生社稷都是有大功的,也称得上一代贤王。

梁王深得太后宠爱,也极孝顺,每次听说太后身体欠安,便哭泣不食,直到听说太后平复才进饮食。每次朝见太后,梁王都不愿离去,却迫于朝廷制度,不得不回到自己的封国,虽处极富极贵之地,却因思念太后而郁郁寡欢,也是个可怜的富贵人。

梁王的骄奢和不守制度其实也是窦太后和汉景帝两人过分宠溺

所致。汉景帝后来也有所觉悟，常想给他立点规矩，梁王便每每闹出些恶作剧，来个突然失踪什么的，太后便大哭大闹，说景帝杀了自己的儿子，绝食抗议。汉景帝上忧母后，下忧爱弟，也常常是焦头烂额。明知由着梁王的小孩子脾气闹下去非出大祸不可，可稍一管束太后就不吃饭了，景帝对梁王也是没有一点辙。

但是梁王虽然得不到太子的位置，却始终没有反心。刺杀袁盎也不过是发泄怒气，他自己也不知道这事的后果有多严重，后来明白了也是恐惧不已。

田叔是汉初的名臣，他知道此事的棘手程度。案件必须要查，查不明白会让人嘲笑朝廷无能；可查明白后，又不能按明白办：真要依法处死梁王，太后势必活不下去，景帝岂不是一举害死母亲和弟弟两人，连桀、纣都不如了？

所以查要明白，办要糊涂，拿些手下人顶罪伏法，保全了梁王，就是保全了太后，更是保全了皇上，这才是真正的"难得糊涂"。至于那些记载梁王罪过的证据当然是销毁为宜，否则朝中一些只知规矩、不懂变通的大臣又会坚持依法惩处梁王，皇上又要陷入两难境地。

景帝慨叹大臣应像田叔这样懂经术，就是说要因时因势因人而知道变通，既不坏规矩又能处处得宜，比那些只知墨守成规的大臣强多了。

田叔行事很有自己独特的风格，更有不尽的韵味。他任鲁王相，刚到任时，就有一百多鲁国的民众到相府，状告鲁王夺取他们的财物。田叔把为首的二十人各打五十大板，其余的各打二十大板，发怒说道："王爷不是你们的主人吗？你们怎敢诬蔑自己的主人？"

鲁王听说后倍感惭愧，拿出自己府中的钱，请田叔偿还给百姓。田叔说："王爷自己夺的，却让国相偿还，这是国王为恶而国相为善。"坚决不肯，鲁王便自己逐个偿还。

鲁王喜好打猎，田叔便每次都跟随他到猎苑中，鲁王见国相受风吹日晒，很难为情，便派人请国相到屋中休息。田叔不肯，说："王爷还暴露在阳光下,我岂能自己去享福。"鲁王打一天猎,田叔便坐在外面受一天风吹日晒。鲁王见状,也不好意思经常出外打猎了。

责罚告状的百姓来使鲁王羞愧,又坚持让鲁王自己还钱,既巧妙补救了鲁王的过失,又使鲁王有好的名声。用自己受苦的方法使鲁王减少打猎的次数,这是不言之谏,这些方法都比犯颜苦谏,甚至比抬棺尸谏效果好得多。

有味哉,田叔!

原文

夫祸患之来,如洪水猛兽,走而避之则吉,逆而迎之则亡。

译文

灾祸患难的到来,如同洪水猛兽一样可怕,逃到别的地方避开它就会大吉大利,不顾利害、迎头赶上就只有死亡了。

【事典】白衣宣至白衣还的杨铁崖

杨维祯是元朝著名的文学家,自号铁崖,故而人称杨铁崖。他一生著述极丰,尤以诗为众人钦服,号"铁崖体"。

杨维祯在元朝泰定四年(1327年)中进士,做过一些下等官职。由于恃才傲物,性格冷僻,他不受上司喜欢,多年得不到升迁。后来他被提升为江西儒学提举,但此时天下已大乱,义兵四起,杨维祯便到富春山躲避战乱,后又迁至松江。

由于他在文学上的声名极大,每天去拜访他的文人墨客都很多,杨维祯和这些人诗酒唱和,倒也逍遥自在。

他有时戴华阳巾,身披羽衣,横吹铁笛,作《梅花弄》曲,或者叫侍儿唱《白雪》的歌词,自己弹琵琶伴奏,叫宾客们蹁跹起舞,远处望去,以为都是神仙中人。

朱元璋定鼎南京后,召集名儒编纂礼乐方面的书,因为杨维祯是前朝最有名的文学家,便派翰林学士詹同上门以礼聘请。

杨维祯叹息说:"哪有女人都老得快入坟墓了,还想着去嫁人的道理。"坚决不肯入朝。

第二年,朱元璋又下令当地官府督促杨维祯入朝,不从命便杀之。

杨维祯也很恐惧,便上书朱元璋,说:"如果让我编书,我愿竭尽所能。如果一定要让我做官,就是强我所不能,我也只好蹈海而死了。"朱元璋看后,答应了他的请求,派人用征聘隐士的礼节,以安车驷马接他入京。

杨维祯在京师待了三个多月,编完书后便要求回家,一向抱定士大夫不为所用即杀之的朱元璋,竟破例放他回山。史馆编书的人都在城外为他设宴饯行,宋濂赠他一首诗,有两句写道"不受君王五色诏,白衣宣至白衣还",称赞他的隐士高风。

杨维祯年已老迈,又受了惊吓,心理波动很大,回到家后便死了,终年七十五岁。

释评

野兽躲进深林中,还要扫灭痕迹;飞鸟飞到高空中,也要掩藏影子,为的就是不被猎人注意、捕捉到。

杨维祯生逢乱世,决心隐居度过余生,却偏偏不耐寂寞,每日和海内名士互相唱和,以至名声越来越大,想不被人注意、捕捉到,是根本不可能的。晋张翰曾说过:"名满天下,求退良难。"退已不易,藏身更需谨慎,杨维祯虑不及此,自炫自鬻,终致晚年受生死威胁,险些名节不保,也是不善避晦之故。

朱元璋在帝王中独创一条"士大夫不为我所用,便当杀之"的法规,不肯应召做官的要杀,做官想辞官的也要杀,好像官爵在他手中已被玷污了,送都送不出去似的。

其实这不过是他的自卑感在作祟,他虽当了天子,却以曾当过和尚、出身低贱为耻,以为士大夫不肯出来做官,是瞧不起他这个和尚出身的皇上。这实在是多虑了。

不论朱元璋有多少是是非非,但有一点是肯定的,他是位大英雄,因为中国历史上,只有汉高祖刘邦和他是以布衣的身份夺得天下的。刘邦也不过是个流氓,但历来的皇帝中,却没有哪个敢声称自己超过汉高祖的。英雄何论出身!

明代剔红

先前,人们总有一种牢不可破的观念横亘胸中,认为元朝是入侵的游牧民族建立的,汉族人民一定生活在水深火热之中,天天想着如何"驱逐鞑虏,还我河山"。推翻元朝,建立汉人的大明王朝,也一定是无数仁人志士怀着伟大的政治理想,抛头颅、洒热血来完成的。后来细读元明史,才发现不然,既感失望,又很迷惑。朱元璋在总结元朝灭亡的经验教训时曾说:"前元待士甚优,以致亡国。"待士甚优,何以亡国?真是咄咄怪事。他派徐达北伐攻取北京时,又嘱咐将士:"元主曾生养我等父母,我等也曾北面事之,城破之日一定不要缺了礼数。"既看不到阶级仇,更找不到民族恨了,反而有些微的感激之情,这才明白:朱元璋反元和黄巢反唐、李自成反明一样,都是饥寒压迫所致,与民族并无关系。

《明史记事本末》在描述明朝后期的情形时,曾有八个字的断语——"官贪吏暴、乡绅横行"。够了,一个国家到了这种地步,根本不给普通百姓留一点活路,不反何待?不亡何待!

由此例明白了元朝灭亡和明朝灭亡如出一辙:待士甚优,待民暴虐。李自成、张献忠横行天下时,读书人、士大夫除牛金星、李岩少数几人外,其他都没有降附,更甭说主动投降义军了。明朝能得士大夫的心可谓至罕至固了,但一样亡国。

其实海瑞很早就发现了这一问题,所以主张恢复肉刑,对贪官污吏实行剥皮囊草。大臣们都嘲笑他迂腐不通世务,而且以"刑不上大夫"为理论根据,海瑞愤怒地说:"刑不上大夫,小民何辜了?"真是一语道破天机。朱元璋待士严厉,待民宽厚,开创洪武盛世;末期待士极优,待民暴虐,终失民心。

记得电视连续剧《康熙大帝》中,借孝庄太皇太后之口,极力鼓吹要得"士子心",得到士子心就是得民心。

这是本末倒置型的错觉,得士子心未必得民心,反之能得民心却一定能得士子心。明初和明末就是最好的例证。

朱元璋所立的士大夫不为所用即杀之的法律历来被人当成朱元璋残暴的证据,然而作为知识分子不为本朝效忠,而要为前朝守节,怎么会有好结果呢?

原文

是故兵法三十六,走为最上策。

译文

所以兵法有三十六条计策,逃走才是最好的计策。

【事典】吕后的卑词婉约

汉高祖刘邦去世后,吕后临朝称制。匈奴单于冒顿曾把刘邦和三十万汉军围困在平城达七日之久，虽对大汉很轻视，然而对刘邦还多少有些忌惮。

刘邦一死，冒顿单于便心骄气傲，想挑起兵端，便派使者给吕后送去一封信，上面说：

"孤独苦闷的君王，生于荒野大泽之中，长于旷野牛马蕃育的区域，多次到达边境，希望能游览中国。陛下独立，孤独苦闷媚居，两位君主都不高兴，也没办法让自己快乐起来，希望以我的所有，换你的所无。"

这竟然是一封言辞亵慢的求婚书，冒顿单于妻妾成群，自不会对吕后这位老太婆有何兴趣，不过是借戏侮她来戏侮大汉。

吕后见信后大怒，便召集群臣商议，要大举讨伐匈奴以雪此辱。

吕后的妹父樊哙率先高喊道："我愿带十万人马，横行匈奴之中。"

吕后大喜，季布却怒声叱道："樊哙理应斩首。"

朝堂上的人都吓了一跳，不知季布在哪儿偷吃了熊心豹胆，竟要斩元勋国戚。

季布接着说："当年高帝率三十万精兵讨伐匈奴，却被围困在平城七日七夜，那时樊哙也在军中，却束手无策；今日为何就能以十万人马横行匈奴之中，这不过是当面阿谀陛下，犯欺君之罪，按律当斩。"

樊哙被质问得哑口无言，其他众将也纷纷附和说，以高皇帝之英武，尚被困于平城，匈奴势力强盛，委实不宜擅起战端。

吕后

名雉，汉高祖刘邦之妻，力助刘邦剪除异姓诸王侯。刘邦去世后，惠帝立，吕后掌权，野心勃勃。惠帝死后，她先后选立刘恭、刘弘为帝，自掌实权，又大封吕氏家族，死后被陈平、周勃等迅速剪灭。

镜　鉴

言辞上受辱无关大局，谋事当从实际出发。

吕后见众将意思一致,回头细想也确实如此,便忍下这口恶气,退朝回到宫内,不再提讨伐匈奴的事了。

过后,吕后为安抚冒顿单于,居然卑词婉约地写了一封拒绝信,上面说:

"单于不忘我中国,赐给书信,我等国人都很恐惧,我自思自忖:年已老迈,气息也衰弱,牙齿也脱落得差不多了,走路的步子都不均匀,单于听信了传言,我实在不足以使您自污。我国无罪,应在您赦免之列。我有自己坐的车两辆,马八匹,送给您平时乘坐。"

然后派宦官张泽送去。

冒顿单于原以为汉朝一定会倾竭国力攻击自己,便严加戒备,没想到等来的不过是一介汉使。冒顿单于读信后反倒觉得羞愧,便又派使者送给吕后好马,回信说:"我生长荒野,没听说过中国的礼义,多亏陛下赦免了我。"便又和汉朝和亲。

释评

外交是最要谨言慎行的,一言一行失宜,带来的可能就是战争。隋高祖杨坚初称帝时,很想睦邻友好,主动给陈后主写信致意,并无讨伐陈国之意。陈后主却极为傲慢地回了一封信,其中有句话说"想彼统内如宜,此宇宙清泰",意思是说你把自己的区域管理好了,这个世界就清静太平了。

杨坚很不高兴,把信给大臣们传阅。于是杨素、贺若弼都跪在地上请罪,说"主辱臣死",宁死也要讨伐陈国,一雪此辱,遂立下平陈大计。贺若弼率八千人渡江吸引住陈国主力,韩擒虎只带五百精兵就攻破金陵,生擒陈后主。

冒顿单于其实也是在玩火,刘邦被围平城,不过是过于轻敌,并非实力悬殊。吕后时,刘邦虽死,元勋猛将俱在,真要再打一仗,匈奴并无胜算可言,否则他何必挑衅,直接攻打边关就是了。

"主辱臣死",君主受辱,臣子就该拼死赴敌,樊哙的表现就是这种传统心理的直接反应。可惜平城之困,给汉将们的印象太深刻了,连在项羽手下尚能以勇猛闻名的季布也反对开战,这种持重求稳、为国家而忍小忿的态度是值得赞许的。

吕后性格刚毅,心狠手辣,汉初三大功臣有两位直接死在她手上,即韩信和彭越。然而面对匈奴单于的侮辱和挑衅,她不但采纳众将的意思忍耐住了,而且还以谦卑的姿态回了一封信,倒使得冒顿心生惭愧,回信谢罪,并达成了和亲。吕后时边塞得以无事,民众得以休养生息,后来的文景之治其实就奠基于此。

忍私人一时小忿而虑民生大计,以谦恭卑顺来折服匈奴的骄横怠慢,吕后在此事上显示出她治国的深远谋略,不愧是中国第一位女强人。

原文

避非只走也,其道多焉。最善者莫过于晦也。扰敌、惑敌,使敌失觉,我无患焉。

译文

躲避并非只是逃跑,方法有很多种,最好的方法没有超过"晦"的。干扰、迷惑敌人,使敌人失去对我的辨别能力,我也就没有后患了。

【事典】朱棣的缓兵之策

明洪武三十一年(1398年)六月,朱元璋病逝于南京,皇太孙朱允炆继位,是为建文帝。

建文帝继位伊始，便仿效汉景帝大力削藩，各藩王相继被逮入京师，废为庶人。

建文帝最忌惮的就是封藩北平的燕王朱棣，却因他势力雄厚，不敢贸然动手，就先消除一些藩王，剪除朱棣的羽翼，待他形单势孤时，再下手除掉。

朱棣明白朝廷的意图，也不甘坐以待毙。他和心腹谋士道衍和尚密商对策，在王府的后花园修筑地下室，在地下室中操练兵马，打造兵器，私铸金钱。

此事做得虽然隐秘，但还是被朝廷知道了。建文帝以防守边关为名，把朱棣麾下燕山三护卫中精锐官兵都抽调到别处；又把北平都指挥使司、布政使司和按察使司的官员全都换成自己的亲信，以控制北平城并监视朱棣的动向；又派将军宋昌驻重兵怀来，随时准备平息朱棣可能发动的兵变。朱棣真如瓮中之鳖，伸手可捉。

朱棣见形势危急，又苦于准备不足，便想铤而走险，孤注一掷。道衍和尚劝阻了他，声称天时未至，人事不足，地利已失，失此三者，贸然起兵不过是送死，又为他密献一策。

朱棣便单身冲出王府，跑上街头，披头散发，鞋也跑丢了，还在街道两旁小摊贩的摊子上乱抢东西，遇到行人手里拿着食物，抢过来就吃……于是京城人都传言：王爷被皇上逼疯了。

北平布政使司急忙上奏朝廷，说燕王得了疯疾，请皇上指示进止。

朱棣

明成祖，朱元璋第四子，战功卓著，朱元璋死后，以藩王身份击败建文帝朱允炆而登基，成为一代明君。执政期间政治清明，天下太平，开创了"永乐盛世"。

镜鉴

时机不成熟时，须迷惑对手，拖延时间。

建文帝准备妥当,马上就要擒拿燕王入京,却不料有此变故,心中固然是半信半疑,但怎么说也不能对一个疯子动手,这也太失朝廷体面,只好让各处按兵不动,又让北平官员查实燕王是否真疯了。

北平三司的官员知道事关皇室,不敢不特别慎重,只好耐下心来仔细观察,即便心有所疑,也不敢断言燕王是诈疯。

没等他们最后查明白,朱棣又使计把三司官员诱入王府,一网打尽,就此起兵。

释评

朱棣诈疯不过是缓兵计,使皇上无法马上向自己下手,从而争取了宝贵的时间,待天时、地利、人和三方面都有利于自己时,便断然起兵。

朱棣出身皇室,自小养尊处优,让他装疯也着实难为他了。然而他虽然演技并不高明,不能表演得逼真,但只要假装出这种姿态,朝廷就要有所顾忌,不彻底查明此事就无法对他下手,因为他毕竟是皇上的亲叔叔。然而要证实一个人是否真疯也不是容易的事,他只要装出种种疯态,就无法确定他不是真疯,朱棣正是利用皇上和官员的这种心理,把主动权牢牢掌握在自己手中。

原文

察敌之情,谋我之势,中敌所不欲,则波无所措手矣。

译文

观察揣摩敌人的情形和心理,从而建立自己的声势,站到敌人无法攻击的位置,敌人就无法向我动手了。

【事典】张释之敬老免祸

汉文帝时,张释之为公车令,负责掌管各宫门。

汉朝宫廷制度:凡是乘车出入殿门、公车司马门的人,必须下车。当时还是太子的刘启和梁王同坐一车入朝,以为宫廷就是自己的家,外臣宦官要下车,自己是主人,何必下车,便和梁王稳坐在车上。

张释之看到后,从后面追赶上来,坚决阻止太子和梁王入宫,并上章弹劾太子和梁王过司马门而不下车,是对皇上的大不敬。

薄太后无奈,只好派使者下诏赦免太子和梁王的罪过,二人才得以入宫。汉文帝向太后道歉说:"儿臣没有教育好自己的儿子。"

汉文帝很欣赏张释之执法不阿的精神,连太子和梁王有过错,都敢抓住不放,何况别人。汉文帝便提升他为中大夫,后又任命他为廷尉,掌管刑罚。太子刘启对张释之却怨恨在心。

文帝去世,太子刘启继位,是为汉景帝。张释之自知得罪过皇上,大祸难免,天天忧虑畏惧,却不知该如何逃脱。

有处士王生,善于黄老的言说,被征至朝廷。王生和张释之很好,便与他合演了一出戏。

第二天上朝时,三公九卿都恭候景帝的到来,王生突然对张释之说:

"我的鞋带开了,你过来给我系上。"

大臣们都愕然,以为王生突然疯了,张释之却面色恭谨,走过去跪在地

张释之

西汉名宦。他严守法纪,秉公断案,刚正不阿,并敢于直言,曾多次说服文帝以法办事。时称"释之为廷尉,天下无冤民"。

镜　鉴

若能在对方下手前满足其心理需求,则祸患自除。

上为王生把鞋带系好。

大臣们哗然，认为王生不过是个白衣处士，老而贫贱，居然敢在朝廷上当众侮辱身列九卿的张廷尉实在过分。反倒是张廷尉看他年老，不愿和他计较，真跪地为他系了鞋带。张廷尉敬老爱老的高尚品德，大臣们一致称赞，而对王生却一阵痛骂。

景帝正一直想等个好的借口重重处罚张释之，又不让人说是报复，听说这件事后，对张释之倒是刮目相看，便不打算报复他了。

后来有人问王生为何当众侮辱张廷尉，王生说："我老矣，自思不能帮张廷尉做些什么，张廷尉是天下名臣，我当着三公九卿的面，在朝廷上羞辱张廷尉，让他为我跪地系鞋带，不过是为了增加他的名声。"

人们知道后这才恍然大悟，都夸赞王生富于智谋。

景帝虽不打算处置张释之，看着他也不免心堵，便任命他为淮南王相，一是聊示薄惩，稍稍出口恶气，二是眼不见为净。

释评

张释之是汉初名臣，在廷尉任上政绩最为突出，历来被举为执法公正的楷模，然而他在处理太子和梁王过司马门不下车一事上，却既暴露出法家的刻薄寡恩，毫无人情味，又有矫情自饰的嫌疑。

法律是天下人共同遵守的准绳，处置一人不单纯是要惩罚这个人的过失，更是要让其他的人有所鉴戒，不再犯这样的错误。

太子身为储君，和皇帝一样都是国家的象征。太子不下司马门谈不上有什么不敬，更没有人敢于攀比太子，犯同样的过错，此事本可不究，张释之却抓住不放、大做文章，不过是借此抬高自己的身价。

商鞅在秦国变法，推行法家刑名之学，执法严峻，王子犯法，一样严惩不贷。结果后来王子继位为王，商鞅便惨遭车裂之祸。张释之结怨太子，如果不是王生为他巧出计策，也不会比商鞅好多少。

王生此计就是要给张释之重新树立一个新的良好形象——贵而不骄，富而有礼，敬老爱老，身甘下贱。有了这么多良好品德护身，名声自然更高,景帝要收拾他也不能不有所顾虑。

历代执法都讲究"王子犯法,与庶民同罪",高喊的人是骗子,相信的人是傻瓜,既相信又准备身体力行的更是愚不可及的笨驴,包青天云:"不过是想象中物而已。"

原文

居上位者常疑下位者不忠,人之情不欲居人下也。遭上疑则危,释之之道谨忠而已。

译文

高高在上者常怀疑下属对自己不忠,因为人的正常心理就是不甘居人下。遭到上面的怀疑是极为危险的事,解除上面疑心的方法也只有恭敬、谨慎忠心不二而已。

【事典】露宿街头的徐达

徐达是朱元璋的功臣之首,一生率大军东征西讨,所谓"功定天下之半,声驰四海之表",称得上是明朝的韩信。

朱元璋和徐达本是同乡,少小亲善,朱元璋称帝后也一直称呼他大哥,以示尊宠。可朱元璋越是亲热地叫大哥,徐达越是心里发毛,如同芒刺在背,感觉就像被鬼叫魂一样,处处小心谨慎,不敢有丝毫的差错,心里依然畏惧不安。

朱元璋观察了很长时间,虽没发现徐达有何异常表现,还是放心不下。这也难怪朱元璋神经过敏,徐达手握重兵,又在将士中有着崇高的威望,他如果有当皇帝的野心,自己也只好避贤者路了。

所以朱元璋也是两难:不重用徐达无法平定天下,重用徐达则等于太阿倒持,把帝位和自己及家人的生命交到徐达手中,端看他取不取了。

朱元璋想了很久,终于想出一个试探徐达真心的办法。徐达总是在春天领军出征,到秋冬之际便回师京城,缴上将军印信,回府休假。这一次徐达出征回来,朱元璋照例下殿迎接,口称大哥,亲热无比。徐达汇报完战事后,朱元璋便留他在宫中闲谈,装作漫不经心的样子说:"大哥功劳最大,却没有一座像样儿的房子,我以前当吴王时住的府邸现今空着没用,就送给大哥将就住吧。"

徐达一听,心都提到嗓子眼儿了,知道自己已到了鬼门关口,忙俯身下拜,苦苦推辞,朱元璋见他态度诚恳,也就不再提了,徐达却是汗透重衣。

过了几天,朱元璋在吴王府邸中设宴,款待自己昔日的布衣兄弟,徐达自然也被请去。酒宴上朱元璋连连劝酒,徐达不敢违命,只好拼命喝,结果不胜酒力,宴席没结束便已醉倒了。

朱元璋便命人把徐达抬到自己以前睡过的床上,对众人说:"我已经把这所房子送给徐大哥了,今天不过是代他请大家喝酒,主人已醉,咱们也散了吧。"便率众人离开。

徐达酒醒后才发现自己是在吴王府邸中,而且睡在皇上先前用过的床上,顿时吓得魂飞九天,忙一跃而起,冲出府门。府中的奴仆们不知何故,都出来劝他回去,说皇上已经把府邸赐给大将军了。

徐 达

　　明朝开国军事统帅。刚毅武勇,持重有谋,治军纪律严明,率军转战南北,被朱元璋誉为"万里长城"。

镜 鉴

　　逾矩莫要轻取,如此方经得住居上者的试探。

徐达哪敢再踏入府门,又不敢擅自回家,怕朱元璋心中生疑,索性和衣睡在街道上。

仆人们都苦苦劝他,数九寒冬睡在街道上非冻死不可,徐达置之不理,仆人们只好进去拿被褥。凡是上好的朱元璋用过的,徐达都不要,仆人们只好拿出自己的被褥给他,徐达才接受,仍以街道为床,睡起觉来。

夹杂在仆人中的锦衣卫密探忙入宫禀报朱元璋,朱元璋不觉露出笑容,命他继续监视。

徐达宿醉未醒,又自知逃过了生死一劫,虽睡在街道上,心里却很平稳,居然在凛冽寒风中睡着了。

朱元璋得知这一情况后才喜笑出声,认定徐达是铁了心要做自己的臣子,绝没有自立为帝的野心。

徐达天一亮便入宫求见,见到朱元璋后口称死罪,连连叩头谢罪,请求惩罚。朱元璋却哈哈大笑,甚是欢畅,便下令在吴王府邸的对面为徐达造一座府邸,赐名为"大坊"。

释评

在人们的历史观念中,似乎每一代开国君主都要大杀功臣,尤以刘邦和朱元璋为最。其实是受了《厚黑学》的误导,朱元璋固然是杀戮功臣的能手,刘邦却有些冤枉。

除去一些短命王朝外,大的王朝无非是两汉、唐、宋、元、明、清。元朝、清朝不是汉族政权,姑且不论。后汉刘秀保存功臣最为人称道;唐太宗英明仁慈,更是不杀功臣;宋太祖杯酒释兵权,功臣也个个以富贵终生。剩下的也就是前汉刘邦和明朝朱元璋了。

刘邦似乎已成了"厚黑学"的鼻祖了。刘邦脸皮厚诚然不假,他一身的流氓气,但心却不黑。

细数西汉功臣,被杀的无非是三个异姓王——韩信、英布和彭越。韩信是不甘于当淮阴侯,耻于与周勃、灌婴同伍,挑动陈豨造反被吕后杀死于长乐钟室。刘邦出外平定了陈豨的叛乱后回宫,见到韩信已死,心里还很可怜他。可以肯定地说,假如韩信未死,刘邦一定会再放他一马,把他废为百姓,让他没能力造反就是了,这也正是刘邦恢弘大度的品德。

英布是因韩信被杀,自己起了疑心公开起兵造反而被杀。他和韩信死得都不冤枉,功劳再大也没有资格造反;有些冤枉的是彭越,但三人本来就是一根枝上结出的三个果实,已去其二,彭越也难以独存,形势使然也。

除去这三人外,周勃、樊哙、灌婴、夏侯婴等功臣很多,无一受戮,所以说刘邦滥杀功臣乃是不实之词。

刘邦听说蒯通教韩信造反,便把蒯通抓来,准备把他下油锅炸了来泄恨。在刘邦心里,韩信还是个好人,不过是让蒯通教坏了,刘邦为人如此,说他心黑委实太过。

朱元璋才是不折不扣的厚黑人物,不过话也须两面说。刘邦功臣杀得少,可称帝后总是东征西讨去平叛,忙得不亦乐乎。朱元璋大灭功臣,共杀了五六万人,可直至明朝灭亡,没有一起武将造反的事例,用五六万人的生命换取两百年没有叛乱,值与不值已无法用数字来判定,更无法用道德来评说。道德和法律都是帝王用来愚弄和统治民众的,君王的作为自然不在此范畴之内。

徐达不仅是古代名将中杰出者,避祸的本事更是高超。他自小和朱元璋一同长大,对朱元璋的性格和心理揣摩得最熟,更熟知韩信的故事,处处引以为戒,才能保得无事。

帝王们都有一种迷信心理,认为自己以前住的老房子一定有帝王之气,自己也正是因此荣登帝位,有敢觊觎以图染指者必杀无赦。

朱元璋把自己当吴王时的府邸赏给徐达,名为赏功,实则已露杀机,端看徐达是否甘为臣子了。

徐达倘若不察接受房子,或者酒醉后在吴王府中安睡一夜,就会被疑心为要凭借自己的帝王之气有所图谋,以后的事自然也不必说了。

徐达干脆来个夜宿街头，用苦行自虐来向朱元璋表忠心。朱元璋至此才对他信用不疑，为他大起府邸，又和他结成儿女亲家，成祖朱棣的徐皇后就是徐达的女儿。

徐达的二儿子徐增寿于建文帝时为左都督，与燕王朱棣暗通消息，被建文帝囚禁于宫内。燕军攻破南京，一向仁弱的建文帝亲手斩杀了徐增寿，然后与皇后自焚。

朱棣称帝后，追封徐增寿为定国公，世代传袭。明代功臣子孙中只有徐达的后代有魏国公、定国公两公，魏国公居南京，定国公居北京。而历朝皇帝秉承明成祖旨意，对定国公的荣宠赏赐比魏国公要多几倍，其他功臣子孙更难望其项背。

原文

如若避无可避，则束身归命，惟敌所欲，此则不避之避也。

译文

如果根本没有地方可以躲避，就干脆放弃抵抗，把生命交到对方手中，随便他怎样处置，这也是避不开时躲避的方法。

◆【事典】姚枢的先见 ◆

元宪宗蒙哥即位，大封宗室，尤其偏爱弟弟忽必烈，便把攻掠下的中原地区的军民都赏给忽必烈。

忽必烈自以赏赐丰厚，很是高兴，便设宴款待部下，以示庆祝。

部下们都纷纷向忽必烈庆贺，只有汉臣姚枢默然无语。忽必烈素来敬重姚枢，知道必有缘故，待众人散去后，便单独留下姚枢，问他原因。

姚枢说："如今若论土地广大，民众之多，财赋之厚，有能比得上中原地区的吗？这地方的军队和民众都归大王所有，皇上去统治谁啊？万一有一天大臣们向皇上进言，皇上一定会后悔，把这些都夺回去，大王不是空欢喜一场吗？"

忽必烈一听，觉得有理，酒也醒了，问姚枢："那该怎么办？"

姚枢说："您只要兵权，把民众和财赋都还给皇上，军队的费用再向皇上索取，这样就名正言顺了。"

忽必烈第二天就按此向宪宗申请，宪宗赏赐过后也觉得很后悔，忽必烈的请求正合己意，便顺势答应了。

过了不久，果然有人向宪宗进谗言，说忽必烈在中原招揽人心，中原百姓都拥戴他，忽必烈有在中原自立为帝的倾向。

宪宗听信谗言，便派阿蓝答儿在中原成立钩考局，调查这些事。阿蓝答儿便调查忽必烈安抚军民、任免官吏、征收赋税这些事，还扬言："等我调查完毕，除了刘黑马、史天泽这两名大臣要向皇上奏请外，其余的人我都杀掉。"

忽必烈的手下都惶惶不安，无法自保，忽必烈也很愤慨，要和阿蓝答儿评理。姚枢劝他说："皇上是君，是兄长；大王是臣，是弟弟，这事据理力争是没用的，况且这些事也很难用口舌辩白清楚，继续下去一定会有大祸。大王只有带着妃妾和家人回到皇帝身边，摆出在上都安居乐业的架势，这些谣言就不攻自破了。"

忽必烈采纳了他的建议，第二天便率妃妾和王府中人北上回京师。宪宗听说他如此，已明其意，心里也很自愧，兄弟二人一见面，忽必烈还没开口，宪宗已泪流满面，制止他说出来，随后就取消了钩考局，对忽必烈也友爱信任如初。

释评

姚枢原是金国军资库使，蒙古军队攻破许州时得到了他。他也是蒙元得到的第一位汉人士大夫，成吉思汗和元太宗窝阔台都很器重他。元世祖忽必烈为亲王时便招姚枢到府中，尤为敬重，凡事都听取他的意见。忽必烈称帝后，他历任宣抚使、中书左丞、昭文馆大学士、翰林学士承旨等要职，和许衡、窦默并为元世祖时的汉人名臣之首，死谥文献。

蒙古族夺取中原，建立元朝政权后，认为大金国是由于过分吸收中原文化导致衰弱，所以对汉民族文化的吸收有一种本能的抵制。元既是中原地区第一个非汉族政权，也没像满清那样被汉族文化所同化，基本还保持了蒙古族的特色。但其寿命也很短，只有八十九年，所以说拒绝同化未必是好事。

成吉思汗并不懂一个大一统的帝国为何物，所以他建立的汗国虽然版图辽阔，为古今所仅见，却没想到把它建成一个中央集权制的帝国，而是分给子孙们各自为王，如同蒙古族的各部落一样，可谓善攻而不善守。他死后庞大的帝国便四分五裂，不但停止向外扩张，反而内部攻杀不已，这对当时世界各国、各民族倒是一件值得庆幸的事。

宪宗把中原地区的军民土地都赏赐给弟弟忽必烈，在蒙古族是一贯的传统。姚枢却以汉人知识分子的先知睿见看出此事行不通，因为当时蒙古大汗对中亚、东亚等汗国已基本失去控制能力，如果再失去中原地区，大汗手中便只有蒙古本部和西域了。而无论土地的广阔、人民的众多，还是财富的丰厚，中原地区都不是蒙古本土和西域所能比拟的，所以他断言宪宗一定会后悔，再把这些夺回去，与其根本得不到，还不如握牢军权的好。

后来的事情发展验证了姚枢的先见，忽必烈仅握军权也依然遭到猜疑，不得不再退一步，放弃军权，带领家人回到宪宗身边，以此表明自己绝无占据中原、自立为帝的野心，以便重新赢得宪宗的欢心和信任。

如果他以亲王、皇弟的身份与阿蓝答儿发生冲突，势必要站到宪宗的对立面，这就和其他汗国一样，会与中央政权发生武力冲突，而以忽必烈当时的势力而言，被消灭是注定无疑的。

原文

避不得法，重则殒命，轻则伤身，不可不深究其理也。

译文

行使避晦的权谋如果不得要领，情形重的要丧失性命，情形轻的也会损伤身体，所以不能不深入研究避晦的道理。

【事典】徐渭的自残

徐渭是浙江绍兴的秀才，因善于写文章而负重名。胡宗宪开府杭州，平定沿海各省的倭寇，便招徐渭入幕府。

徐渭熟读兵书战策，喜欢谈论军事谋略，胡宗宪剿平倭寇的两大臣寇——徐海、汪直，徐渭始终参与其事。

当时胡宗宪手握东南沿海数省兵权，威势极重，大将们参见时都俯首不敢仰视，徐渭却以白衣书生的身份与胡宗宪分庭抗礼，纵论天下大事。

胡宗宪先是依附严嵩的义子赵文华，凭借严嵩父子的关系得以久握兵权。严嵩被废后，胡宗宪失去靠山，便想靠自己的力量赢得皇上的宠信。他知道明世宗喜欢符瑞，恰好得到一头白鹿，便进献给世宗，并让徐渭撰写表文。

徐渭这篇称颂符瑞的表文写得文采飞扬，世宗看后大为高兴，果然对胡宗宪宠爱备至。大臣们都上章弹劾胡宗宪乃严嵩党羽，以及其贪污军饷、虚报战功、挥霍无度等大罪，世宗都置之不理，重用依旧。

胡宗宪见徐渭一篇表文果然打动了君主的心，对徐渭也更加敬重。总督府制度森严，徐渭却率意而行，根本无视军法制度，经常外出饮酒不归。

有时胡宗宪深夜需要草写奏章，却找不到徐渭，只好在夜里打开辕门，派卫士到处寻找，烛火通明，军令传呼，都以为发生了什么大事。而徐渭有时喝醉了,被卫士们找到,他也不肯回来,胡宗宪只好坐等他酒醒。

倭寇平定后,大臣们因胡宗宪是严嵩同党,坚决咬住不肯放松,上章弹劾不已,世宗开始还回护他,说:"宗宪不是严党,是朕自己提拔重用的他,群臣只是因他屡献符瑞才怨恨攻击他。"但毕竟弹劾的人太多,胡宗宪在总督任上种种不法之事也都被揭露出来,世宗只好把他下狱调查,他竟在狱中病死。

胡宗宪死后,徐渭只好回到家乡。他见胡宗宪因是严嵩同党而遭大祸,感到自己作为他的亲信自也难幸免。忧惧恐慌,竟想用自残的手法躲过可能会有的刑罚。他先是用巨锥刺破耳朵,深入脑中居然不死,后又用锤子锤碎自己的肾囊。

然而朝廷大臣痛恨的只是胡宗宪一人,世宗更没有追究胡宗宪之意,徐渭所担忧的会被归类为胡党而遭迫害的事并未发生。他自残之后,一者忧虑,一者痛悔,竟致精神恍惚,失手杀了继妻,倒真被下狱论死,幸亏同乡张元忭力救,才得以出狱。

徐渭至此绝意功名,致力于书法、绘画和诗歌文学创作,在艺术领域达到极高的造诣。只是他性格狂放,行事不拘礼法,不为当时的人看重,所以并没有太大的名气。

他死后二十年,袁宏道偶然得到他的一部分文章,喜不自禁,拿给国子监祭酒陶望龄看。二人都极为赞赏徐渭的艺术成就,搜集他的诗文绘画和书

徐 渭

字文长,明代文学家、书画家。青年时屡试不第,曾在胡宗宪府中任幕僚。胡案发后因怕牵连而一度发狂,自杀未遂,后因失手杀妻而入狱7年。晚年以卖书画为生,开创一代画风,列中国古代十大名画家之一。

镜 鉴

自残以避难,须掌握分寸,若丧命于祸患未到之前,则贻笑大方。

法,刊印发行,并撰文予以宣扬,徐渭才得以名传后世。

释评

都说是"树倒猢狲散",其实更多的时候是"树倒猢狲死",想"散"又谈何容易。胡宗宪党附严嵩父子,确属奸党无疑,然而剿平东南倭寇,功劳也确实很大。明崇祯帝一怒之下杀了兵部尚书陈新甲,兵部给事中沈迅在崇祯帝前诋毁陈新甲,崇祯帝鄙夷地说:"让你去做陈新甲的事,你还不如他呢。"那些自命正人君子、极力把胡宗宪排挤至死的人又有几人比得上胡宗宪呢?

成就人才难,善于使用人才更难,而毁掉一个人才却极易。明朝中叶以后的"君子"们专以排挤异己为己任,极尽口诛笔伐之能事,可惜口头和纸面上的本领能毁掉办事的人才,却制止不了李自成、张献忠的造反,也抵挡不了满清的进攻,最后只能以自杀殉国来成仁,对国家、百姓和自己都毫无益处。

徐渭才华横溢,诗文字画造诣极高,凛凛有英气,颇肖其为人。他以一介书生的身份进入胡宗宪幕府,参与剿平徐海、汪直两大倭寇,足以证明他腹中确有韬略。

然而他过后的自残行为却说明他依然只是不经世事的书生,既沉不住气,又经受不住打击。与其自残避祸,何如隐姓埋名,逃到一穷乡僻壤处谋生,待风平浪静后再重新出头?倘若如此,何至于自己精神崩溃,杀了继妻,险些把自己送入黄泉。

韬晦是避祸的法术,忍辱、自污也都是行之有效的手段,但自残绝不包括在内。徐渭的手段也够拙劣的,当然这也是他狂放轻率的性格所决定的。

性格往往决定一个人的命运,这听来似乎是宿命观,但在关键时刻,这种现象却显露无遗。

原文

古来避害者注注避世，苟能割舍嗜欲，方外亦别有乐天也。

译文

自古以来躲避灾害的注注避开尘世，选择出家，如果能彻底断绝自己的嗜好和欲望，佛道两家倒也是另一番乐土。

【事典】持不语戒的朱耷

朱耷是清初著名画家，擅长花鸟写意，负一时之盛名，号"八大山人"。

朱耷是明朝宗室出身，世居南昌，应该是宁王朱权的后代。明朝亡后，他剃发出家，当了十几年的和尚。

朱耷书法学颜真卿，也很有名。他所画怪石、花、竹、鱼、鸟之类更是鲜活生动，如欲跃出纸面，令人赏玩不忍释手。

临川县令胡亦堂听说后，把他请到衙门中居住。朱耷从空门返回红尘，心里总是很压抑，有时痛哭，有时大笑，人们都认为他得了疯病。

一天晚上，朱耷忽然撕裂身上的僧衣，一把火烧掉，然后穿上俗世的衣服，回到了南昌。他服饰怪诞，又都破旧不堪，经常一人在街市里行走，如同疯子一样，小孩们都围观嬉笑，无人知道他就是大名鼎鼎的"八大山人"。

朱耷虽有疯癫的名声，绘画上的造诣却出神入化。每当大风雷雨天，他便爬上高山，观望山林景色，直到日出天晴，景色的急剧变化有动于心，便欢呼大叫返回家，执笔作画，水墨濡染，云气蒸蔚，人们看后都惊呼为仙人之笔，绝非凡世间物。

朱耷对自己的画作并不甚爱惜，附近的人每有所求，便为之提笔。走在路上，经常有人抓住他的衣服，拉住他的手，求他作画。他也总是笑而不拒，但就是不给达官贵人和富人作画，这些人出多少银子也买不到，只好从朱耷身边那些穷苦的人手中转购。

一天朱耷忽然在门上大书一"哑"字,从此便不再说话,但他喜欢笑,更喜欢饮酒。有人请他喝酒,他便缩肩拍掌,哑哑笑个不停。喝酒时又喜欢与人猜拳,胜了便笑声哑哑,输了便用拳轻打对手的后背,常常不自觉潸然泪下。

释评

家国之痛,是人世间最大的痛苦,文天祥说:"痛定思痛,痛何如哉!"朱耷所承受的正是这种深入骨髓的痛。

每一次改朝换代,最先遭殃的自然就是前朝皇家宗室子弟,尤其是光武帝刘秀以宗室子弟建立东汉,中兴汉室,后代的君王们便总结出一条经验:对宗室子弟一定要斩尽杀绝,绝不能姑息手软,留下一人就可能留下想象不到的祸患。从此宗室子弟的祸患堪称炽烈了。

不过有时也很令新兴的君王头痛,譬如说朱元璋称帝时,既无兄弟,也无亲戚,孤零零一人。而到明朝末期时,朱氏子孙繁衍已达二十三万多人,这真是一个令人难以想象的惊人数字。二十多万人散处全国各地,若想斩尽杀绝还真是一件难以做到的事,除非仿效希特勒施行惨无人道的"种族灭绝法"。

所以明朝灭亡后,那些有名的亲

朱 耷

号"八大山人",南昌宁王朱权九世孙,明亡后,削发为僧,后改做道士。性情孤傲倔强,行为狂怪。擅花鸟、山水,清初画坛"四僧"之一,对后世影响深远。

镜 鉴

彻底抛弃俗世,是古人避祸的方法之一。

王、郡王们是被屠戮一空,而如朱耷这样可能在拥挤的皇家王册上根本占不到一名之地的疏远子弟才有机会侥幸逃生。但不管怎样说,像朱耷这样的出身,莫说出头无望,死亡的概率也要比平常人高。

出家为僧历来是古人避祸的首选,佛教最实际的功效莫过于为苦难的人们在精神和肉体上提供一个避难所。朱耷出家正是借用宗教的庇护,以一身僧衣保护自己。但他研究的不是佛教经典,而是书法绘画艺术。

不过名气大了以后,自然会引人注目。朱耷只好再为自己加一道"疯癫"的面具,一个疯疯癫癫的和尚自然不会对任何人有害,然而二十多年苦痛刺激,他的疯癫也有许多真实的成分。

"苦难是艺术的源泉",这句话虽然未必适用于每一位艺术家,但大多数超凡的艺术品都结晶于深重的苦难却也是不争的事实。朱耷在绘画艺术上能达到前人未有的高度,也正是因为他的苦难是前人所少有的。

清代青花缠枝莲将军罐

秦始皇用百万民众的苦难筑就了万里长城,雍正皇帝则用曹家的苦难造就了一部《红楼梦》,前后尽可辉映,都是人类文化史上的奇迹。人们常慨叹雍正帝在帝王中的地位不高,其实仅就他抄没曹家,使得曹雪芹写出《红楼梦》一事,便足可和秦皇汉武、唐宗宋祖并列,毕竟中国只有一部《红楼梦》。

原文

避之道在坚,避须避全,勿因小缓而喜,勿因小利而动,当执定深、远、坚三字。

译文

避晦的要诀在于坚定一心,避害一定要避得全面,不要因形势稍缓而心喜,也不要因贪小利而妄动,要认定避得深入、避得遥远、坚定一念这三条规律。

【事典】选择流浪的重耳

晋献公听信骊姬的谗言,害死了太子申生,重耳和同母弟夷吾则都逃到外国避难。

晋献公死后,骊姬便立自己生的儿子奚齐为国君,可惜大臣不买账,在晋献公的葬礼上,权臣里克弑杀了奚齐。大臣荀息又立骊姬妹妹所生的儿子卓子为君,里克又杀了卓子。

如此一来,国内已无国君的合法继承人,里克想要迎重耳回国接任国君。此时重耳正在母亲的国家翟国避难,里克便派人到翟国请重耳回国。

重耳推辞说:"我违背了父亲的命令,出逃他国,父亲死了,我也不能像别人的儿子那样奔丧守礼。如今父亲死了,我怎敢再违背父亲的遗愿回国接任国君呢? 大夫还是另立别的公子吧。"

里克没办法,只好从梁国迎回在那里避难的夷吾接任国君,他就是晋惠公。

重耳继续在列国间流浪。

释评

重耳、夷吾逃到外国避难,最大的愿望自然是能安全地回到晋国。

晋国大夫里克杀了奚齐、卓子后，重耳就是最合适的王位继承人了。

　　然而重耳看出晋国的灾难并未终结，内有奸臣擅权，即使做了国君，也难保自己的身家性命，外面又有夷吾这个最大的竞争者。如果此时回国，很难说不成为第三个牺牲品，所以他宁愿选择继续流浪，寄食他国，也不回去当有名无实、处境又危如累卵的国君。

　　夷吾贪恋国君地位，回国接任，虽然除掉了里克，晋国却一直处于动荡不安之中。夷吾死后，国人无不盼望重耳回国，重耳才在众望所归的情形下回国任国君，晋国因他而中兴，五年间便由一弱国成为中原霸主。

心生万物，万物唯心。时世方艰，心焉如晦。鼎革之余，天下荒残，如人患嬴疾，不堪繁剧，以晦徐徐调养方可。至若天下扰攘，局促一隅，举事则力不足，自保则尚有余，以晦为心，静观时变，坐胜之道也。

夫士莫不以出处为重，详审而后始决。出难处易，以处之心居出之地，可变难为易。廊庙枢机，自古为四战之地，跻身难，存身尤难。惟不以富贵为心者，得长居焉。古人云："我不忧富贵，而忧富贵逼我。"人非恶富贵也，惧富贵之不义也。

兴利不如除弊，多事不如少事，少事不如无事。无事者近乎天道矣。

要对付一个人，就要先想法让他骄傲，骄傲就会变得很愚蠢。一个既愚蠢又骄傲的人是最容易被打倒的。

不要仅仅看到小人的无耻，如要战而胜之，更要看到他的才能。

义重于生，舍生可也；生重于义，全生可也。

大智若愚，但一定要让人发现这种智，否则就只能是愚蠢了。

鱼不可脱离水，龙不可脱离渊，人不可脱离权。

原文

心生万物,万物唯心。时世方艰,心焉如晦。

译文

心产生世上万物,万物的根源在于心。身逢乱世,时事艰危之时,心便也如阴天一样,进入"晦"的状态。

【事典】携妓东山的谢安

东晋时,"王谢"就是贵族的代名词,"王"是指王导家族,"谢"指的就是谢安家族,当然谢氏家族能与王氏家族并列则是谢安当上宰相后的事了。

谢安,字安石,少年时就负天下重名,朝廷屡次征聘他做官,他都坚辞不出。他喜欢会稽山水,每日里和王羲之等名士游山玩水、钓鱼打猎,乐而忘返。

谢安经常泛海游东山,而且每次都携带妓女,携妓而游名山也就成了谢安的特征了。好在东晋并不过分看重礼法,这一点还不被人视为荒诞,反而是风流的表现。

谢安的弟弟谢万也是名士,在朝廷中任西中郎将,监司、豫、并、冀四州的军事,并兼任豫州刺史。谢万虽不懂军事为何物,却握有很大的军权。谢安虽是布衣平民,名气却比谢万大得多,被公认为宰相的最佳人选。

当时东晋内忧外患,处境很令人担忧。王导死后,朝野上下都希望再有一位王导这样的贤相支撑摇摇欲坠的晋室小朝廷,于是大家都把目光投向每日携妓遨游东山的谢安。谢安却似乎对世事无所挂怀,打定主意要老死于名山盛水之中了。朝廷中的士大夫们都互相哭丧着脸说:"安石坚不肯出来做官,这全天下的百姓可怎么办呢?"盼他出来做官的呼声越来越高。

谢安的妻子是京师长官丹阳尹刘惔的妹妹，每次回娘家，看到的都是宾客满门，车如流水马如龙的景象，而自己家却是冷冷清清，门可罗雀。她不能不感到失望，对谢安说："大丈夫为人处世，不应该像我哥哥那样吗？"

谢安听后，仿佛闻到了腥臭的气味似的，捂住鼻子说："我恐怕也免不了这样啊。"神情极为愁苦。

后来谢万因指挥大军作战时不战而逃，被朝廷罢免官职，废为庶人，谢氏家族的地位和声望也一坠千丈。谢安在妻子和族人的苦劝下，为挽救家族的命运，便应征出山做官，在征西大将军桓温府中任司马。

桓温没想到谢安会给自己这么大的面子，喜出望外，对谢安也极为器重。

谢安到桓温府中任职，不过是个跳板，不久就到朝中任侍中，掌管吏部，与尚书令王坦之同辅朝政。

其时桓温总揽兵权，威震内外。他总想废除晋朝，自立为帝，却又怕众人不服，不敢仓猝行事。朝廷上下也都知道他有此野心，却也无奈之何。

简文帝死后，桓温本以为简文帝会把皇位识趣地让给自己，简文帝倒也确有此意，却被王坦之拦住了，只是让桓温辅政。

桓温大怒，从镇守地姑孰返回京城，京城里讹言籍籍，都说桓温此番是要杀尽王谢二族，然后废帝自立。桓温也认为一切都是王坦之和谢安搞的鬼，

谢 安

　　东晋宰相，少有高名，心胸胆量过人。入仕后，政绩卓著，因指挥淝水之战留名千古。后急流勇退，不恋权位，堪称魏晋风流之代表。

镜 鉴

　　人才如珍宝，不可自轻，亦须待价而沽。

想趁二人来见时下手除掉,所以在府中安排了刀斧手,用帷幕遮住。

王坦之和谢安一同去见桓温,明知无异于探头虎口,却又不得不去。见到桓温后,王坦之浑身流汗,手上的手版都拿倒了;谢安却是面不改色,神情依旧,与桓温谈笑风生,畅叙往日情分,桓温倒一时硬不下心来杀掉二人了。

谈话之中,一阵风吹过,把帷幕吹起,露出埋伏于后的士兵,谢安笑道:"我听说诸侯有道,是在四面设兵防守,桓公怎么在两厢幕后埋伏人呢?"

桓温很是尴尬,敷衍道:"这也是军府中的老规矩了,为防刺客而已。"

桓温帝位没得到,便派人向朝廷要求给自己加九锡,也就是在仪仗中增加九种法器。从王莽以后,奸臣篡夺帝位,加九锡既是一种征兆,也是一道不可省略的步骤,加九锡之后便是强行请皇帝禅位于己了。

谢安明知如此,却也无法不给,便叫袁宏起草给桓温加九锡的制文。

袁宏是当时的文章圣手,曾随桓温出征,那时需要赶写一篇檄文,他倚在马上,文不加点,顷刻间便写了万余言,极富文采,所以当时朝廷的诏旨制册大多出自他的手笔。

袁宏尽心尽力地写好后,谢安却在上面一通乱改,然后扔还给他,让他重写。袁宏连写几次,均遭同一命运。袁宏丈二和尚摸不着头脑,不敢问谢安,便私下里问王坦之。

王坦之笑道:"以你的大手笔,哪里还用修改,桓温年老病重,活不了多少时间了,谢安这是在想办法拖延。"

桓温果然没等到加九锡,一命呜呼,晋室朝廷总算逃过一劫。

桓温死后,谢安才成为名副其实的宰相。内忧虽去,外患越来越强,前秦苻坚灭掉燕国,已和东晋隔江相望,苻坚在王猛的辅佐下,不断吞并周围的小国,已有一统天下的态势。东晋在强大对手的威胁下,也是有朝不保夕的感觉。

东晋孝武帝太元八年(383 年),苻坚倾国而出,调集重兵八十多万,号称百万,渡江讨伐东晋。

东晋举国上下震惊恐慌,谢安的侄子谢玄为大将,也觉得无法抵挡强大无比的前秦军,向谢安询问御敌方略,谢安只说了一句"朝廷已有旨意",便不再说了。

谢玄心里没底,不敢强问,便让部将张玄进去询问。谢安被问得烦了,索性坐车到山中的别墅里,招集亲朋好友饮酒听音乐,又和谢玄下围棋,赌注便是这座别墅。谢安本来下不过谢玄,可这天谢玄心里恐慌,竟输了。谢安又出门登山游玩,到夜里才回来,然后招集众将,指挥部署,派谢玄、谢石率精兵八万抵御入侵的前秦军。

谢玄、谢石率军与秦军隔淝水对阵,谢玄派人过河向苻坚要求前秦军向后退一些,空出些地方,让晋军渡河,然后展开决战。

苻坚想趁晋军渡河渡到一半时发起攻击,便答应了这个要求,下令全军后退。没想到军队向后退了不远,便有人大喊:"秦军败了。"只这一声喊,前秦的百万大军竟然顷刻间土崩瓦解,纷纷逃起命来,谢玄率军渡过河后,从后追击,秦军狼奔豕突,自相践踏,死者遮蔽原野,所谓的百万大军,居然损失了七八成。

淝水大捷的捷报传至京师时,谢安正和人下围棋,看完战报后便若无其事地放到床上,客人问是什么事,谢安平淡地说:"孩子们打败敌人了。"

谢安表面上漫不经心,内心却是狂喜,毕竟东晋的君臣百姓又逃过了生死大劫。他起身回内室时,脚下木屐的齿柱都被门槛折断了。

释评

谢安隐居不出,并不是真的不想做官,而是一方面等待机会,另一方面也是通过隐居来提高自身的价值。

《后汉书》中说贾复功成名就后"阖门养威重",也就是说关起门来不见人,令人感到高深莫测,用这种方法来提高和培养自己的声望。谢安的隐居也是同样的道理,古人为人处世方面的哲学还是相当高明的。

有时人在社会上和商品在商场上一样,是有其本身价值的,而且价格也不是一成不变的,通过特定的手段就可以达到增值的目的。谢安的隐居和屡次推辞朝廷的征聘,正是这种手段。他每推辞一次征聘,自身价值就无形中增长了许多,这也和如今的名画拍卖有些类似,每拍卖一次,物品的价格便会上浮很多。至于携妓泛游山水,并非风流,而是变相的自我炒作。

谢安的目标直接指向宰相一职,而不愿意在官场中沉沉浮浮损耗自己的声名。他坚持忍耐了二十几年,终于在万众一心的企盼中如救星一般升起在东晋的天空。

当然谢安的相业还是很辉煌的。当时的人把他和王导相比,并说谢安文雅胜过王导。王导任相时,前后有王敦、苏峻等几次兵变,晋室几倾。谢安却以个人的能力使得朝廷平稳渡过桓温的危机,当时措置稍有不当,就有可能使得桓温兵变,晋朝也可能马上就寿终正寝了。

东晋德清窑两系鸡首壶

淝水之战是东晋王朝面临的最大外患,即便在今天看来,东晋不亡于前秦也只能称之为万幸,因为实力相差过于悬殊,如同一个大力士和孩童比拳击。

赤壁之战、昆明大捷、淝水之战都是古代战史上以少胜多的光辉典范,一方是百万之众,另一方则是可怜的数万人,而百万之众却总是败得一塌糊涂,令人瞠目之余也不由得怀疑这些战例的真实性。

"杀敌一千,自伤八百",这是兵法上的规则,虽然打仗可以出奇兵,用奇谋,可一切也都要以实力做后盾,并不能如炒股票那样买空卖空;即便以近代中外战争史上的战例来推理,也找不到这些"光辉典范"能够成立的理由,充其量也不过如同《三国演义》中赵子龙在长坂坡独战曹操的百万大军一样,都不过是不足征信的小说家言。

古人也会吹牛，而且善于吹牛、敢于吹牛，吹的都是大牛，而且是在号称字字真实的正史中。

原文

鼎革之余，天下荒残，如人患羸疾，不堪繁剧，以晦涂涂调养方可。

译文

每次改朝换代之后，天下荒凉如同废墟，国家就像人患有导致极为虚弱的重病一样，既不能多做事，也不能多运动，只能用"晦"的状态来慢慢调养。

【事典】李沆的先见之明

李沆是宋太宗赵光义太平兴国五年（980年）的进士，极得宋太宗的赏识，被任命为太子的老师。

真宗继位，李沆便被任命为参知政事，又升为平章事，成为真宗的第一位宰相。

李沆为相，专以镇静无事为念，提拔选用人才也都选择老成厚重的人，不喜欢浮华无实、好大喜功的人。中外官员凡是奏请修改制度、兴造事端的，他都一概否决。李沆说："我待在宰相这个位置上，对国家也作不了多大贡献，只能对四方的奏请一概否决。兴一事必有一弊，朝廷体制已经尽善尽美，大小无不完备，如果答应了一个请求，就会生出许多事端，受害的还是国家和百姓。现今内外无事，妄生事端不过是'天下本无事，庸人自扰之'罢了。"

李沆在朝廷上力保镇静,杜绝佞幸。寇准是李沆同年进士,与丁渭关系很好,屡次向李沆推荐丁渭。李沆笑道:"丁渭这种人,能让他居于众人之上吗?"

寇准性情刚烈,反驳道:"以丁渭的才能,相公能让他久居人之下吗?"

李沆淡淡一笑道:"你现在认为我说得不对,二十年后,你就会记起我的话。"

后来寇准为相,大力提拔丁渭,丁渭得志之后果然一脚把寇准踢到了雷州,让他险些命丧蛮荒。寇准想起李沆的话,叹服地说:"李文靖(李沆的谥号)真是圣人啊。"

宋真宗一次和李沆谈论治国的经验,问最先考虑的应是哪一条,李沆说:"不用浮薄后进喜事的人。"宋真宗问谁是这样的人,李沆说:"梅询、曾致光就是这样的人。"

李沆死后,有人向真宗推荐梅询可以重用,宋真宗想起李沆说过梅询不是君子的话,便摒弃而不用。

北宋刻花枕

宋朝边将李继迁举兵造反,全国震动,朝廷上下也忙个不停,宰相们也经常很晚不能回家。

王旦当时任参知政事,也就是副宰相,一天慨叹道:"我们什么时候能见到天下太平,我等可以优游无事?"

李沆道:"外有强敌为患,可以给我们以警戒,等到四海宁静,朝廷未必无事。"

李沆每天把四方水旱、盗贼的情况奏报给皇上,王旦认为这些都是小事,不足以麻烦皇上。李沆说:"皇上还是个少年,应当让他知道四方百姓生计的艰难,要不然,少年人血气方刚,无事可做,就会留意声色犬马,大兴土木,对外发动战争或者祈祷拜神之类的事就多了。我老了,见不到这些,这正是你日后要忧虑的事了。"

李沆的话后来句句应验,大家都佩服他的先见之明,称他为"圣相"。

李沆在家中执行的也是无事政策。他在封丘门建了一所房子,门前的厅室很狭窄,仅能转过一匹马,别人都劝他把门厅修得宽敞些。李沆说:"房屋是要传给子孙的,门厅作为宰相的居第而言是窄了些,作为一般家庭还是足够用的。"

李沆不治产业,因房屋狭小,他弟弟劝他再建一所大房子。李沆说:"我任宰相这些年俸禄优厚,朝廷又经常有额外的赏赐,用这些钱造所大宅子并不难。可是这个世界就不是圆满无缺的,人生在世,何必要求事事都称心如意呢?况且建房子最快也要一年的时间,人生朝不保夕,谁能保证一年后会如何呢?人就如林中的小鸟一样,只求有一根树枝能够栖身就足够了。"

释评

宋太宗太平兴国五年(980年)是宋朝初期人才的丰收年,李沆、王旦、寇准都是这一年的进士。

李沆人称"圣相",言"圣"似乎有些溢美,但足以称得上贤相,而其先见灼识更是后人无比。

宋朝经过赵匡胤、赵光义两代的征伐,国土基本已确立下来,宋太宗赵光义从中期开始便偃武兴文,与民休息。自唐末战乱,五代争伐,人命不如猪狗,百姓又被征兵、运输、重赋所困,至此才过上正常人的生活。到真宗继位时,国力已得到恢复和增强,开始向北宋的鼎盛时期迈进。

李沆担任宰相正是北宋由弱变强、由穷转富的关键时期。他凭借宋真宗对他的信赖,全力实施与民休息、培植国力的政策,除了遵守旧章外,不多生一事,以免扰民害民,而北宋也借此达到全盛时期。

一切遵守旧章似乎有"墨守成规"之嫌,在改革开放的今天看来,更是有封建、落后、顽固的味道。然而在封建时期,确实有许多时候需要这种"墨守成规",如西汉的曹参恪守萧何的规矩,史称"萧规曹随",

其实也是"墨守成规"。

《周易》说:"穷则变,变则通,通则久。"每一种制度或体制实行久了,都会产生上下淤塞的弊病,这就需要变通。然则变通以后导入正轨,也就需要把握住方向,持之以镇静,若再变来变去如万花筒一样,就不仅不通,而且使人无所适从,其弊病就不是"穷"而是"亡"了。

这种镇静和无为称得上是一个国家和一个民族的韬光养晦阶段,不求有功,不求美名,而国家在清静中元气充盈,民族在无为中得以富强,这倒和古代个人的养生术相近。实际上古人正是以调养个人身体和意识的手段来治理国家的,即所谓"修身、齐家、治国、平天下"。

在政治和经济体制都比较单一的封建时期,这种手段还是行之有效的。

原文

至若天下扰攘,局促一隅,举事则力不足,自保则尚有余,以晦为心,静观时变,坐胜之道也。

译文

至于天下大乱之时,自己只占据一角之地,吞并天下力量不足,保全自己倒还有余,就要以晦为心念,静静观察时局的变化,这是坐着就可以取胜的策略。

【事典】朱元璋的缓称王

郭子兴死后,朱元璋掌握军队大权,然而面对群雄林立的局面,却也不知路在何方。

朱元璋很重视征询读书人的意见。他攻下徽州后,邓愈把朱升推荐给他,朱元璋向朱升询问当前的急务,朱升说了九个字:"高筑墙,广积粮,缓称王。"

朱元璋细细揣摩这九个字的含义,如同在茫茫夜色里看到了曙光。他又和周围的谋士商议了几天,制订了一套政策。

一是继续向韩山童称臣,奉行韩山童的年号,也就是缓称王。

二是乘元朝军队全力对付刘福通、韩山童,群雄又相互争夺之际,在江南、两淮间督促民众及时耕种,又在交通便利的地区建立粮仓,储备粮食以备以后打仗时用,也就是"广积粮"。

三是招集民众,加以训练,扩大军队的实力,也就是"高筑墙"。

释评

元朝末期,义军蜂起,有名有号的不可胜数,最有实力,也最有号召力的当属刘福通和韩山童、韩林儿父子这一支。

韩山童自称是宋徽宗的第八代孙子,当重兴大宋,为中原之主。这一旗号很有影响力,当时各地义军都纷纷响应刘福通和韩山童的号召。

韩山童死后,刘福通立韩林儿为帝。郭子兴、朱元璋等义军首领都接受韩林儿的官职,刘福通、韩林儿也就成为元军打击的最主要目标了。

朱元璋

明朝开国皇帝,即明太祖。本是贫民出身,于战火中锻炼出卓越的军事政治才能,最终成为一代帝王。其为人多疑,相信猛政,在位期间吏治严酷,功过难断。其统治期间被称为"洪武之治"。

镜鉴

求真务实,谦虚谨慎,韬光养晦,水到渠成。

　　朱元璋所掌握的滁州义军在各支义军中势力并不大,但地理位置绝佳。刘福通、韩林儿纵横中原,如一道坚实不可逾越的高墙为朱元璋抵挡住了元军的进攻,朱元璋才得以在江南和两淮间从容不迫地开辟和巩固自己的根据地,消灭了张士诚和陈友谅两支义军,势力逐渐壮大。

　　但他既不称帝,也不称王,始终奉行韩林儿的旗号,元军只是把他当成韩林儿的部属,把主要力量都放在对付刘福通和韩林儿这面。刘福通、韩林儿纵横中原十几年,最后虽被镇压下去,却也消耗尽了元军的实力。

　　朱元璋却趁机积蓄力量,兵精粮足,时机一到,便自称吴王,派徐达、常遇春率军北征。两年后,韩林儿被朱元璋部将廖永忠杀害;又一年,徐达攻克北平,元顺帝逃往大漠,元朝灭亡,大明王朝建立,天下的得来却也如此之易。

原文

　　夫士莫不以出处为重,详审而后始决。出难处易,以处之心居出之地,可变难为易。

译文

　　士大夫都以是从仕做官还是隐居不出为最重要的事,仔细衡量轻重得失才能做出决定。从政很难,隐居却很容易,如果用隐居的心态来做官,就可以化难为易了。

【事典】任职却不任官的彭玉麟

曾国藩为镇压太平天国起义，创建湘军，于陆勇之外，成立十营水师，由彭玉麟指挥。

彭玉麟统率湘军水师屡立战功，朝廷也因此屡屡为他加官，他却都坚决推辞，不肯接受官职。

彭玉麟在给朝廷的奏折中说："人的聪明才智，用久了就会枯竭，所以从古以来的臣子，开始都能有所建树，到了晚途末节，就会栽跟头，遭灾惹祸。这固然是因为他才力不继，也是因为他不善于掩藏自己的短处所致，而当时的朝廷也不善于保全这些人的长处，这些人只知猛进不已，却不知退身藏短，所以往往致祸。"

彭玉麟虽无官职，清廷倒还是按照他的功绩为他加官，由按察使、安徽巡抚、两江总督到兵部侍郎。彭玉麟却终生只带领长江水师巡视江防，死后清廷按兵部尚书的规格为他赐葬，抚恤家属，并在他立过功的地方建立他个人的专祠，用来祭奠，规格在功臣中也是最高的。

释评

古往今来，任职办事却终身不接受官爵的人大概只有彭玉麟一人。

东方朔自称"大隐隐于金马门"，却也担任官内侍郎。彭玉麟受曾国藩的委托，创建湘军水师，一开始就坚持要以白衣的身份办事，而且能坚持终生，不接受任何官职，的确是一代奇人。

当官的人最怕的自然是降职、免官、丢官，遭人嫉妒、受人倾轧也同样是因为官做得大。

彭玉麟既不任官，自然不怕削官、丢官，没有官爵也不会有人嫉妒眼红，也就免除了官场中的一切烦恼。当然人的正常心理是办事就是为了做官，为了升官；钱

清代日进斗金花开富贵香炉

不怕多,官不怕高。彭玉麟反其道而行之,在一般人的眼里怕是难以理解吧。

彭玉麟虽无官职,却比一般的封疆大吏更受朝廷的信任和倚重。左宗棠、张树声等封疆大吏遭人弹劾,朝廷便托彭玉麟去查办。各省督抚大吏的任免,朝廷也总是虚心征询他的意见。这倒是容易理解,彭玉麟连官职都不要,自然不会去结党营私,更不会有不轨的野心。

彭玉麟不要官职,却不是不尽心办事,相反他的军功在湘军中是首屈一指的,长江水师更是曾国藩镇压太平天国的基础和中流砥柱,可以说没有长江水师,根本镇压不了太平天国。彭玉麟不仅尽心办事,而且好管闲事。他每年都要巡视长江防务,遇到沿途官吏有贪污虐民不称职的,马上向朝廷弹劾罢免,有的甚至使用军法,先斩后奏。所以不法官吏听到他的名字,便两腿发抖,百姓则称他为"彭青天"。

彭玉麟一次巡视江防到了安徽,有百姓拦轿喊冤,说是当朝大学士李鸿章侄子抢走了他的老婆,求彭玉麟为他做主。

李鸿章的侄子倚仗李鸿章的权势,在当地抢男霸女,无恶不作,当地官府也无人敢过问,被害的百姓则是有冤无处诉。

彭玉麟请来李鸿章的侄子,问他百姓所诉是否属实,李鸿章的侄子倒是心雄胆壮,不仅承认,而且态度言辞都极为蛮横。

清代青花双耳扁瓶

安徽巡抚知道后,意识到要出大事,唯恐李鸿章怪自己保护不力,连忙坐轿来拜访彭玉麟,求情要人。

彭玉麟听说巡抚来访,已知其意,起身迎接时,告诉亲兵:"把人拉到船尾斩了。"安徽巡抚脚刚踏到船头,没寒暄上一句,李鸿章侄子的人头已被亲兵用铜盘托了上来。

彭玉麟也怕给当地官员留下后患，便给李鸿章写了一封信，上写："你的侄子在家乡败坏你的名声，想必你也不会高兴吧，我已替你处置了。"

李鸿章接信后，既羞又愧，给彭玉麟回信表示感谢。

只有这等千古奇人才能做出这等千古快事。

原文

廊庙枢机，自古为四战之地，跻身难，存身尤难。

译文

朝廷中执掌机密的显要位置，自古以来就是四面争夺交战的焦点，想到达这位置很难，在这位置上想站稳脚跟更难。

【事典】胡广的中庸术

胡广是东汉南部华容县人，从小就丧父丧母，家境贫苦。胡广一边操持家务，一边勤奋学习，长大后到太守法雄府中做了名小吏。

东汉政府选拔官员是由各郡向中央推荐人才，然后通过考试择优录用。各郡太守的一项很重要的任务就是发现和举荐人才，称之为察举孝廉。孝廉考试分为三等，如果举荐的人才成绩优秀，朝廷就会下诏嘉奖太守，同时也作为他的一项政绩。

胡广被法雄的儿子法真慧眼识珠，由法雄推荐给朝廷。考试后汉安帝认为胡广是天下第一，任命他为尚书郎，并且下诏嘉奖法雄。

胡广既有才干，又小心谨慎，办事勤奋，仕途顺畅，经过五次升官，升到尚书仆射，后又出任济阴太守和汝南太守，回朝后便升为司农，旋即迁升司徒,成为三公之一。

梁冀专权,专立幼小皇帝以便自己掌握政权,结果冲帝、质帝接连死亡。太尉李固给梁冀写信,坚决要求立年长贤明的藩王为帝,并和司徒胡广、司空赵戒建立同盟,准备以三公的势力逼迫大将军梁冀就范。

胡广、赵戒开始时也和李固同心协力,要求梁冀立贤明的清河王刘蒜为帝。梁冀虽不愿意,但见三公意见一致,也感到无辞拒绝,后来在宦官曹腾的劝说下,以武力逼迫群臣同意立他妹夫蠡吾侯为帝,是为汉桓帝。

李固和杜乔坚持本议,胡广和赵戒却畏惧梁冀的淫威,不敢坚持,群臣也无人敢附和李固、杜乔二人。

桓帝即位后,李固和杜乔被梁冀挟怨害死,胡广却因所谓的拥立皇帝的"定策功"被封为安乐乡侯。

李固临刑前给胡广写了一封信,表明自己的心迹并谴责胡广临阵变节,胡广看信后痛哭流涕,愧不欲生。

胡广在朝中练达政体,随事纳谏,对朝廷政务的处理更是无人可比,但在大是大非上却不敢坚持己见,随事俯仰,如同墙上草。他又触犯士大夫的忌讳,和宦官丁肃通婚,名声受损不少,但权位却愈益牢固。当时京师人送他一句谚语:"万事不理问伯始(胡广,字伯始),天下中庸有胡公。"这一半是夸赞他熟悉朝廷典制、善于处理国家政务,另一半则是讥讽他随风倒的为人了。

胡广历经东汉安帝、顺帝、冲帝、质帝、桓帝、灵帝六朝,从顺帝汉安元年(142年)担任司空,到汉灵帝熹平元年(172年)病逝,在三公位置上呆了三十一年,当过一任司空、两任司徒、五任太尉,又任过太傅,所推荐的都是天下名士。

他曾和陈蕃、李咸同为三公,陈蕃、李咸都是他推荐提拔上来的。每次正式朝令时,陈蕃、李咸都装病请假,表示不敢和胡广并列,当时的人都认为这是难得的荣耀。

胡广于汉灵帝熹平元年(172年)病逝,享年八十二岁,当时公卿、大夫、议郎、博士几乎都是他的门生弟子和任三公时的下属。从他病逝到下葬,朝廷几百位大臣为他戴孝,祭奠追悼,丧事之隆重,两汉之间也只有他一人而已。

释评

"人以类聚,物以群分。"自古以来,对人的划分似乎只有两种,即君子和小人,这倒是标准的"一分为二"的原则。

到了曾国藩那里,划分得就更为苛刻了,提出"不为圣贤,便为禽兽",只是不知他为自己定位在哪里。若论圣贤他绝对够不上,不论他再造大清的功劳有多大,圣贤的队伍里也绝不容有"曾剃头"这号人物插上一脚,否则圣贤们一定会如逃瘟疫一样逃得精光,只余他一人独步自雄,四望彷徨了。若把他降为禽兽,又似乎过于冤枉,他也只能是"名满天下谤满天下"的大清中兴功臣。

所以人的划分不能过于简单,正如人本来就形形色色一样,划分也应有许多不同的标准,不能只用君子、小人两把量尺。

李固、杜乔和梁冀是人群的两极,用君子和小人这两把尺子衡量就再合适不过了。胡广则是一个很复杂的人物,他任三公长达三十余年,不必说他处理了多少国家政务,单是发现、推荐和培养人才就有几百名,几乎遍布当时的朝廷上下,对于国家机器的正常运转还是功不可没的。

从顺帝后,东汉便在权臣揽权和宦官乱政之间摇摆,非此即彼,朝廷政治就没正常过。杨震、李固、杜乔、陈蕃、李膺这些贤

东汉陶马

明士大夫们便和权臣和宦官们展开生死较量,前仆后继,义无反顾,虽然都失败了,却也可歌可泣。然而除此以外也还有一大批人,如胡广一样,他们既不敢正面与邪恶势力抗争,却也不为虎作伥,他们在自己的职位上做好自己的工作,尽力使国家政权还能发挥正常的作用。虽

然最后也失败了,因为东汉还是灭亡了,但毕竟使得东汉中叶以后千疮百孔的破船沉得慢了许多。这样一批人即便不值得赞扬,却也不必过责。

原文

惟不以富贵为心者,得长居焉。

译文

只有那些不把富贵看得很重的人,才能长久保住自己的位置。

【事典】怕见贵人的颜延之

颜延之是刘宋时期著名的文学家,和谢灵运齐名,人称"颜谢",所撰《颜氏家训》也极有名,是研究魏晋南北朝时期历史风范的重要资料。

宋文帝时,颜延之任太常,儿子颜竣任武陵王刘骏的主簿,文名也极盛。

文帝晚年,太子刘劭以东宫卫兵发动政变,弑父自立。武陵王刘骏起兵,颜竣为刘骏撰写檄文。

刘劭见到檄文后,怒不可遏,他知道是出自颜竣的手笔,便找来颜延之,故意问道:"这檄文是谁写的?"

颜延之老老实实地回答:"是颜竣的手笔。"

刘劭问:"你怎么会知道?"

颜延之说:"他是老臣一手教出来的,他的文体风格自然一看便知。"

刘劭看颜延之毫无隐讳,怒气消了一些,皱着眉头说:"颜竣檄文中的言辞何至于此?"

颜延之喟然叹道:"他连他老父亲都不顾,怎会照顾陛下?"

刘邵看他一副楚楚可怜相,本来想把他当逆犯家属灭族,此时倒不忍心了,便放过了他。

刘骏攻入京城杀死刘邵后,即位为帝,是为宋孝武帝。颜竣论功为第一,被封以公爵,任侍中、吏部尚书,领骁骑将军。颜延之也因儿子贵重之故被迁升为金紫光禄大夫。

颜竣权倾朝野,大臣们都趋奉不及。颜延之却居陋巷,住茅屋,穿布衣,凡是颜竣孝敬给他的钱和物,他都一概不接受。颜延之经常坐一辆又老又瘦的牛拉的破车,一天在道上恰遇颜竣出行,前呼后拥,声势煊赫,颜延之便停下车,在路旁为儿子让路。

颜竣看到父亲,忙下来向父亲谢罪。颜延之说:"我一生不喜欢见到权要人物,如今不幸见到了你。"

颜竣富贵以后,大修府邸。颜延之对他说:"你自己凡事小心些吧,别让后人笑话你愚拙。"

颜延之一天早上到儿子的府中,见门外许多官员都在等候,颜竣却在府中酣睡未起。颜延之大怒,骂道:"你出身贫贱,而今升到天上,却如此骄傲,这样能长久吗?"

后来颜竣果真因恃宠骄纵而败。

颜延之

南朝宋文学家。官至金紫光禄大夫,世称颜光禄。其诗与谢灵运齐名,并称"颜谢"。

镜 鉴

不为红尘富贵所迷惑,方能拥有真正的远见。

释评

颜延之和谢灵运齐名,却没有谢

灵运的轻浮狂躁和居高自傲,他熟见当时王侯贵族的骄奢淫逸,最后亡家灭族也都是因此,所以能甘贫乐贱,终始无忧。

颜竣不顾父亲和家族的安危,为武陵王撰写檄文,颜延之和整个家族都命悬丝发。刘邵连父亲都忍心杀害,更何况别人?颜延之老老实实承认事实,而且不辩解一句,装出一副被儿子抛弃的可怜父亲的形象,险而又险地逃过一劫,可以说是善于保身了。

武陵王讨伐刘邵时,几次病危,都是颜竣尽心扶持,出外发令,上下调度,居功甚伟,所以武陵王刘骏即位为帝后,便授颜竣以朝政,权势贵重为当朝第一。

颜延之不喜反忧,他拒绝儿子送的东西,居陋巷、乘牛车,无非是想言传身教,给儿子一点警戒。可惜颜竣只学会了父亲的文笔和才能,却没有父亲的智慧和先见之明,以为自己和别人不一样,能久居富贵权要而不败,这也是所有这类人所共有的侥幸心理,结果自然是走向败亡,无一或免。

原文

古人云:"我不忧富贵,而忧富贵逼我。"人非恶富贵也,惧富贵之不义也。

译文

古人说:"我并不担忧得不到富贵,却担心富贵来逼迫我。"人的本性没有讨厌富贵的,畏惧的只是富贵得来不义。

【事典】田畴义不受封

田畴是东汉末年刘虞的部属,刘虞被公孙瓒攻灭后,田畴便回到无终,招集自己宗族和愿意跟随自己的几百人,进入徐无山中,在山中险要之处选择一块平坦的地方安营扎寨,开垦荒田,躲避战乱。

田畴营建了一处世外桃源,躲避战乱的人都带着家小归附他,几年间便有五千多家。田畴便为这些人制定简单的法律,又修建学校,俨然如一独立王国,治理得井井有条。

袁绍派人招抚田畴,任命他为将军,让他安抚附近地区,田畴拒绝不理。

后来曹操攻打袁绍,因袁绍的儿子袁尚逃到乌桓,曹操便要攻打乌桓,以根绝袁氏。

曹操欲攻打乌桓却苦于路径不熟,需要一位熟悉地理的向导,便派人去请田畴。田畴早就怨恨乌桓杀害自己家乡的名人望族,想要报复却力量不足,听曹操使者说是请自己引导大军攻击乌桓,马上收拾衣装随使者上路。

他的手下人都不理解,问他:"当年袁绍仰慕您的威望德行,五次派人送来重礼,聘您做将军,您却守义不屈。而今曹操只派一个人来,既无重礼,也没有高官,您却像怕赶不上似的,这是为什么?"

田畴笑道:"这里面的原因就不是你们能知道的了。"

曹操见到田畴大喜,任命他为蓚县县令,田畴随大军来到无终。

其时正值盛夏,连降暴雨,山上泥石俱下,道路泥泞不堪,又处处积水,大军无法前进,乌桓也派兵守住险要关口,以逸待劳。

曹操见军至绝处,无计可想,便向田畴请教。田畴说:"这条大道秋天和夏天经常积水,浅不能行车马,深不能通舟船,一直就是令人头痛的事,不过以前北平的郡城是建在平冈,通过卢龙关塞,可以到达柳城。自光武帝建武年间以来,关塞陷落断绝,已经将近两百年了,不过关塞附近还有一条小路可走。如今敌虏认为大军只能从无终进军,道路断绝也只能退回,一定会松懈防备。如果咱们佯装退回,转到卢龙口从小路度过白檀天

238

险,就可到达敌房不设防守的空虚之地,路途很近也很方便,攻其不备,乌桓可以不战而成擒了。"

曹操对这个计划完全同意,便率领大军返回,为迷惑乌桓,又在路旁竖立一块木牌,上写:"如今是夏天,道路不通,等到秋冬季节,再来进军。"

乌桓的侦察兵看到后,以为曹操真的是无路可进,率大军回归许昌了。乌桓首领知道后,更是满心欢喜,防守上更为松弛。

曹操让田畴为向导,入徐无山中,凿山埋谷,开通道路五百余里,经过白檀天险和平冈,直达乌桓所在的柳城。

乌桓发现曹军后以为神兵天降,都惊愕不已,仓猝应战。两军在白狼山激战,乌桓首领蹋顿和主要首领都被斩于阵中,投降的有二十多万人,乌桓遂灭。

曹操回到许昌,论功行赏,以五百里地封田畴为亭侯,田畴拒不受封,说:"我本来是要为旧主公刘虞复仇,因力量不够,率众远逃,已失去信义,如今不过遂我本愿而已,却以之求利,就不是我的本心了。"曹操很理解他的心情,也不强迫他。

后来曹操惨败于赤壁,越发觉得田畴在消灭乌桓一战中立的功劳太大,不应该听从他的谦让,对左右人说:"我这是成就了一人的心愿却败坏了朝廷大法。"便旧事重提,坚决要以五百里地封田畴为亭侯。

田畴上书拒绝,表示宁死也不肯接受侯爵,曹操不听,执意要加封,双方往返十多次,田畴宁死不退让。

曹操让世子和大臣们商议是否该听从田畴的谦让,世子曹丕和尚书令荀彧、司隶校尉钟繇认为田畴的谦让是难得的美德,应该听从。

曹操仍不甘心。田畴和夏侯惇交情很好,曹操便让夏侯惇去劝说田畴。

东汉蛙首人身陶插座

夏侯惇到了田畴家中，也不敢贸然开口，晚上便在田畴家住，准备等待机会开口劝他。田畴却一句话不说，根本不给夏侯惇机会。

夏侯惇临走时，苦苦劝导田畴，告诉他不接受侯爵的封赏就会有大祸。

田畴说："我当年没有给刘公报仇，又逃到远处，是一忘恩负义之人。如今受朝廷大恩，得以苟活于世，已是侥幸的事，岂能出卖卢龙关塞来换取爵禄封赏呢？纵然朝廷偏爱我，我能不有愧于心吗？将军素来知道我的本心，还如此相迫，如果实在不得已，我只有自杀于将军面前了。"话未说完，已是满脸泪水了。

夏侯惇见状，只好讪讪离开，回去见曹操后据实讲明，且为田畴说情。曹操感叹不已，知道无法令田畴屈服，只好打消封侯的念头。

释评

西汉飞将军李广一生以未得封侯为憾事，田畴却坚决拒绝亭侯的封赏，甚至以死自守。这也并非全是出于谦让，而是身处乱世保身养晦的方法。

田畴在徐无山中为自己和家人营造了一个世外桃源，本想终老此生，所以袁绍以厚礼高官相聘，田畴置之不理。曹操一招即至，田畴不过是欲借曹操之手消灭乌桓以复仇罢了。

东汉朝廷毁于董卓之乱，宗室刘虞占据幽州，雄霸一方，表面上依然遵奉汉献帝为主。刘虞想派使者到长安向皇上呈送奏章，却找不到合适的人选。大家都推举田畴，说他虽然年少，却是天下奇才，田畴当时只有二十二岁。

当时四方除了割据一方的军阀，就是蜂起的盗贼，道路不通。田畴舍弃刘虞备好的车马，从自己家客中选了二十人，一路专择险要的小道来到长安，呈上刘虞的奏章。朝廷这才知道遥远的幽州依然是大汉的疆土，便任命田畴为骑都尉，田畴却认为国家多难，做臣子的不应该贪求荣利，坚辞不受，拿到朝廷给刘虞的诏书后便返回幽州。

他回来时刘虞已被公孙瓒所杀。田畴在刘虞墓前祭奠，宣读朝廷的诏旨，然后大哭离去。

公孙瓒知道后，悬赏捉到了田畴，怒道："我现在是幽州之王，你为什么不把朝廷诏旨还报给我？"

田畴说："汉室衰微，天下的人都怀有异心，只有刘公还保持臣子的节义。朝廷给刘公的诏旨中对将军并没有好话，恐怕你也不愿意听，所以我没有送给你。况且将军杀害无罪的君长，又仇恨守节守义的大臣，我恐怕燕赵的义士们宁可赴东海而死，也没有愿跟随将军的了。"公孙瓒听他说得义正辞严，只好放了他。田畴便率宗族逃入徐无山中，立誓说："主公的仇不报，我不能立名于世。"

田畴自甘做汉室忠臣，所以拒不接受袁绍的将军印绶。他知道曹操也不会做汉室的忠臣，所以对于人人极欲得到的侯爵的封赏宁死不肯接受，不过是嫌这封赏来路不正，受之则污辱身名而已。

原文

兴利不如除弊，多事不如少事，少事不如无事。无事者近乎天道矣。

译文

发起一桩有利的事不如除去一桩弊端，多一件事不如少一件事，少事又不如无事。能做到使天下无事就接近上天运行的规津了。

【事典】王旦设箱烧奏章

王旦继李沆为相,在政策方针上并无大的变化。李沆对于官员们有关变革兴事的奏请一概强硬地否决,王旦的方法则更为阴损一些。

他在宰相的政事堂放了一个木箱,让官员们把有关变革兴事的奏章都投到里面,如同今时的举报信箱一样。

好事的官员们踊跃不已,以为表现自己、向皇上邀功请赏的时机到了,纷纷撰写奏章,投到里面。

王旦却根本不打开箱子看,更不把奏章转呈给皇上,待到箱子满了,他便砸开箱子,把奏章聚成一堆,当众举火焚毁。目睹此景的官员们心都凉了,以后便无人再提出此类奏请。

一次一个算命的给皇上上书谈及宫廷中的事,宋真宗大怒,把算命的杀死了。在抄没这名算命者的家时,发现许多朝廷大臣在这位算命者的家中占卜吉凶祸福的证据,真宗更是怒不可遏,要按人名把这些大臣都下到御史狱问罪。

被牵连的大臣们都恐慌不已,纷纷找王旦求情。王旦便拿了一本占卜的书,进宫去见真宗,说:"大臣们占卜算命,也是人之常情,况且言语也没有涉及到朝廷的,不足以治罪。"

真宗怒气不减,坚决要治这些人的罪。

王旦把怀中占卜的书拿出来,说:"臣少年微贱时,也不免做过这种求神问卜的事,不过是想知道自己的前程而已。如果陛下一定认为这种行为就是罪过,请您把臣也一起下到御史狱治罪吧。"

真宗听后怒气才消了,勉强同意赦免这些人的罪过。王旦回到中书省后,马上把那所谓的证据烧毁了,真宗果然又后悔了,派人到中书省索取证据,见已销毁,只好作罢,一起波及很广的冤狱就此消释于无形。

真宗欲任命王钦若为相,王旦坚决反对,说:"王钦若遇到陛下这样的明君,被重用为枢密使,无论从受恩还是从礼遇上而言,都已到了顶点。臣请陛下还是把王钦若留在枢密使这个位置上吧,况且中书省和枢密府的地位品级也是相同的。本朝开国以来,还没有南方人任宰相的先例,虽然说选用贤能不必拘泥成规,但也得是贤能的人才可以为之破例。臣作为宰相,不敢压制人才,这也是朝廷内外的一致看法。"

真宗听他说得有理,便打消了念头。后来王旦死后,真宗才任命王钦若为相。王钦若在朝堂中说:

"就因为王公,我晚了十年才当上宰相。"怨恨之情溢于言表。

王钦若和陈尧叟、马知节同在枢密府任职,一次因事争吵起来,各不相让,真宗制止他们争吵,并叫来王旦裁决是非。

王旦赶到后,王钦若倚仗真宗宠爱,依然不知收敛,与陈尧叟、马知节争吵不休,如同市井中的泼皮无赖一般。马知节受欺不过,痛哭流涕,要求把王钦若和自己都下到御史狱问罪。真宗见王钦若等人根本无视自己的存在,更没有朝廷大臣的体统,气了个倒仰,一迭声叫侍卫把二人送到御史狱里。

王旦见皇上正在气头上,也不深劝,说道:"王钦若等人仰仗皇上宽厚,还得麻烦皇上为他们劝架,确实应按朝廷制度惩处,皇上请先回宫中休息,臣明天来领圣旨。"

王旦第二天进宫,向真宗请示:"王钦若等人应该治罪,只不知皇上要定他们什么罪名?"

真宗想起此事,依然是一肚子怒火,说:"他们在朕的面前争论吵闹,有失朝廷礼仪,这条罪名还不够吗?"

王旦说:"皇上拥有四海,为天下之主,可手下重臣却犯有争吵无礼的罪过,这事如果传到契丹、西夏那里去,恐怕有损您的威严吧。"

真宗没想到这一层,闻言悚然大惊,急忙问道:"那该怎么办? 也不能对他们放任自流啊?"

王旦说:"皇上不必治他们的罪,臣出去叫他们三人递交辞呈,您批准他们辞官就是了。这样既给他们以惩戒,又不致让外国窥探到朝廷的虚实。"

真宗连声称好,王旦便到枢密府对三人婉转传达皇上让他们辞官的意思,三人自然不敢违背,马上向皇上递交辞呈,三人同日免官。

王旦在人才选拔上也排斥那些浮躁冒进的人,谏议大夫张师德是考取进士时的状元,为了升官快些,两次到王旦府上求见,想通通门路,王旦却拒而不见。

张师德莫名所以,以为一定是有人在王旦那里说了自己的坏话,很是不安,便求同是宰相的向敏中向王旦说明自己的心意,也为自己辩解澄清一下。

向敏中还没找到机会对王旦说,朝中正好有知制诰的缺。这是掌管草写圣旨的要职,也是文人们视为极荣耀的差事。在拟定人选时,王旦忽然长叹一声,说:"可惜了张师德了。"

此话正好触动向敏中的心事,他忙问原因。

王旦说:"我经常在皇上面前夸赞张师德是名家子弟,也很有品德,准备重用他,谁知他两次到我府门求见。他是状元及第,功名富贵都是已经定好了的,只要静静等待就可以,这样的人还要到处找寻门路,那些没有他那些优越条件的人又该怎么办呢?"

向敏中便把张师德对自己说的意思对王旦说明,王旦笑道:"在我面前怎会有人敢轻易诋毁别人,师德是后起之秀,未免小看我了。"

向敏中为张师德求情道:"正好有这个缺,师德也能胜任,大人就提拔他一下吧。"

王旦说:"让他等一等,也让他知道官不是钻寻门路能得到的,也好给那些想这样做的人立个榜样。"

榜样立好后,官员们果然都见危知惧,各安其职,不敢到处找寻门路,想走捷径了。

其时自澶渊之盟后,北宋与大辽和西夏就没有战事发生,王旦在相位又力持少事、无事的安静政策,四海升平,倒也近乎天下无事,可惜到了后来出了著名的假造天书事件。

事情的起因居然也是因为澶渊之盟。王钦若因嫉妒寇准成就这一桩不世之功,而自己当时主张逃跑而遭人耻笑,便诡言向真宗进谗:"澶渊之盟是春秋战国时那些诸侯小国都引以为耻的,城下之盟,陛下身为四海之主,居然亲自签订盟约,这可是洗刷不掉的耻辱啊。"

经他一说,宋真宗也感到确是有些耻辱,便问如何做才能洗刷这桩耻辱。

王钦若便说只有封禅泰山才可夸示四海、威服邻国，又说欲封禅泰山要有天瑞稀世绝伦之类，并且断言前代的那些所谓天瑞也有不少是人为制造出来的。

真宗被他蛊惑动了心，便想假造上天赐给自己天书这件"天瑞"。他害怕王旦坚决反对，一次在宫中赐宴，在王旦临走时赐他一瓶酒，让他回家和妻子同饮。

王旦作为宰相，时常会受到赏赐，不以为意，回去和妻子吃饭时打开酒瓶要喝，倒出来的却是一粒粒价值连城的珍珠。

王旦赫然震惊，知道一定要有不寻常的事发生，皇上这是在向自己行贿，好封住自己的口。

第二天上朝时果然便有了天书事件，王旦已受重贿，只好一言不发，不敢出言反对。

真宗借此大兴土木，四处修造宫观，求天祈福，将多年积蓄的资金消耗一空。压抑已久的官员们也借此纷纷上书争言符瑞，好邀合圣心，升官晋级。

王旦只因收受贿赂，无法反对，却知道国家就此多事了。尤令他难忍的是，真宗派给他礼仪大使的差事，每次到各地举行谢天仪式，王旦都得手捧那本假造的天书走在最前面。他深以为耻，感到如同吃下一个苍蝇，却又不得不咽下去，不久便悒悒而终。

释评

皇上也会向臣子行贿，这确实是千古奇事。王旦并非贪得贿赂，而是知道皇上心意已决，无法挽回，只好保持缄默的态度。受到牵连的还有寇准，那本假天书就是他受命到京城亲手献给真宗的。

王旦和寇准是同年进士，一人相业辉煌，一个成就澶渊之盟，都是北宋的社稷功臣，却也都立场不够坚定，卷入了假天书事件。王旦是因为收受皇上贿赂，寇准则是希望能重新得到皇上的重用，一时失计，到头来后悔不及，成为终生憾事，一世英名为之受损不少，堪称难兄难弟。

尽管如此，王旦的相业还是少有人比的。他在宰相的职位上任职十八年，李沆死后，便独掌政权十二年。他以自己的始终如一保证了国家的稳定和持续发展，再次验证了韬晦对于一个国家、一个民族走向富强的重要性。

制器画谋，资之为用也，苟无用，虽器精谋善何益也。

沉晦已久，人不我识，虽知己者莫辨其本心。用晦在时，时如驹逝，稍纵即逝之矣。

欲择时当察其几先，先机而动，先发制人，始可见晦之功。

惟夫几不易察，幽微常忽，待其壮大可识，机已逝于九天，杳不可寻矣。

是故用晦在乎择时，择时在乎识几。识几而待，择机而动，其惟智者乎？

养晦只是一种手段，奋发其威才是目的，养而不用就不是韬晦，而是隐逸了。

时机的把握是最重要的，早则火候不到，前功尽废；迟则机会丧失，悔亦无及。

事事要为自己留后路，也要为别人留后路。

原文

制器画谋,资之为用也,苟无用,器器精谋善何益也。

译文

制作器械和筹划计谋,都是为了使用的。如果不能使用,即使器械精良、计谋完善又有什么意义呢?

【事典】周世宗斩将立威

周世宗柴荣是后周太祖郭威的养子,被封为晋王、开封(首都)尹。郭威病重时,便命柴荣掌管内外兵马,执掌军权。

郭威死后,柴荣即位,是为后周世宗。郭威刚死,与后周有杀子之仇的北汉刘崇便向契丹求援,合兵围攻后周的潞州(今山西省长治市)。

告急文书传到开封后,周世宗决定亲征退敌。郭威刚死,上下人心浮动,听到北汉和契丹联合入侵的消息后,都很恐慌,纷纷劝谏周世宗不要冒险亲征,连一向不参与政事、只求保身养禄的冯道也破天荒地强谏。

周世宗怒道:"当年唐太宗平定天下,都是亲自带兵,朕怎敢偷懒。"

冯道软里带硬地顶了一句:"不知陛下能成为唐太宗否?"

周世宗又说:"以我方兵力之强,破刘崇如同以山压卵。"

冯道又阴阳怪气地说:"不知陛下能成为泰山否?"

周世宗看得出冯道和众将都很轻视自己,分明是认为自己不是刘崇的对手,愈发恼怒,只有宰相王溥力赞世宗亲征。周世宗决意亲征,让冯道负责把郭威的灵柩送到墓地安葬。

后汉刘崇也认为周世宗一定不敢亲自带兵出征,于是放过潞州不攻,直插腹心,大有一举夺取开封的势头。

两军主力在高平(今山西晋城县西北)相遇,刘崇有精兵三万,借来契丹精兵一万,军容严整,阵势威猛。

刘崇见后周兵力不多，倒后悔向契丹求援了，他派人向契丹将领传言：契丹兵马不必参战，只观看北汉如何破敌即可。

两军交锋，周世宗手下的右军将领樊爱能和何徽不战而逃，率骑兵向后逃窜。步兵一千多人见跑不过骑兵，索性解甲投降。

周世宗见手下马、步二军居然不逃即降，分明是把自己卖给敌人了，自己便要率手下亲兵交战。

殿前都指挥使张永德和禁军将领赵匡胤拉住了他，二人率殿前亲军奋勇上前，人人拼死力战。北汉军队初见后周骑兵逃走，步兵坐降，都喜出望外，没想到胜利来得如此容易。正在得意之际，没想到张永德和赵匡胤率军杀到，勇敢善战超乎想象。三万精兵竟被少于自己几倍的军队冲杀得阵脚大乱，溃不成军，刘崇只好收拾残卒，向后退却。

契丹将领见后周威势很猛，也不愿意硬拼，况且刘崇先已有言不用契丹参战，便坐山观虎斗，刘崇退后，也全军后撤。

周世宗派使者去追樊爱能、何徽等骑兵将领，让他们回来参战。这些将领却没有一个肯听话的，有的还把周世宗派去的使者杀了，并且扬言："契丹大军全都到来，官军大败，剩下的人都投降了。"

河阳节度使刘词率领后续部队赶上来，中途遇樊爱能。樊爱能告诉他官军惨败，劝他返回河阳。刘词不听，率军继续前进，在高平与周世宗会合。

周世宗

即柴荣，五代后周皇帝，周太祖郭威的养子。继郭威为帝后，对军事、政治、经济进行整顿，使后周政治清明，百姓富庶，经济开始繁荣；对外积极开拓疆土，为北宋统一全国奠定基础。

镜　鉴

下属若是骄横不可管束，纵是大才亦不可不严惩。

第二天，刘崇集聚残兵，仍有一万多人。两军交战，后周增添了一支生力军，强弱对比也发生了变化，北汉再遭惨败，刘崇只率百余名亲兵逃回晋阳。

周世宗检查俘虏时发现已方投降北汉的一千多名步兵，他一怒之下把这些士兵统统斩首。

官军大捷的消息传开后，樊爱能、何徽等人厚着脸皮又陆续返回，还把罪过推给下属，说都是士兵临阵脱逃，自己等人不过是追赶逃兵去了。

周世宗在野外宿营，对这些返回的骄兵悍将很是头痛，不知该如何处置。他躺在行宫帐中，身边只有张永德，便问张永德该如何严肃军纪。

张永德说："樊爱能这些将领本来就没什么功劳，先帝宽厚待下，把他们提拔为大将，他们却临阵脱逃，死有余辜。陛下想要平定四海，如果军法立不起来，纵然有熊虎一样的战士，百万的军队，也无法指挥调动他们。"

周世宗正在犹豫，闻言心意便决。他奋身坐起，把枕头扔到地下，马上派卫兵把樊爱能、何徽等七十多名逃将抓起来，责备他们说："你们都是几代老将，不是不善于打仗，如今却望风而逃，没别的原因，不过是想把朕作为奇货卖给刘崇而已。"周世宗把这些将领一体斩杀，从此军威大振，一改五代时期兵骄将惰的陋习。

释评

南美一个小国有句名言："哪天早晨只要一名中尉起得够早，就可以发动政变当总统。"五代时期的情况倒很相似，不仅皇帝换得如走马灯一样快，而且皇帝也多，所谓五代十国也，还不包括那些不上经传的闭门称帝者。

周世宗遭逢乱世，深悟韬晦，无论是做亲王执掌开封府，还是执掌军权，都保持低调政策，对于保身而言固然得计，但也带来一个重大弊端——威望不够。

周太祖郭威只因没有亲生儿子，干儿子也只一个，所以帝位也就理所当然地落到柴荣头上。他虽成为皇帝,众将和大臣们却都瞧不起他,连一生谨慎做事小心的冯道也敢对他冷嘲热讽,威严真是无从谈起了。

胜则邀功请赏,败则卖主求荣,这也是五代时期将领的通病。对他们而言,换个主子不过是换个领军饷的地方而已,忠君爱君的理念听都没听到过,跳跳槽反而令领的钱增多,何乐而不为?

俗话说"法不责众",周世宗却反其道而行之,一口气杀掉了投降的步兵一千多人和七十多名逃将。应该说这些将士跟随郭威多年,能征惯战,周世宗又正值用人之际,把这些人赦罪以后重新任用才是常情。周世宗知道不杀这些人自己的帝位就不能确立,威信和军纪就都建立不起来,虽有将有兵却无法使用,所以毅然斩将立威,走出韬晦的阴影。

原文

沉晦已久,人不我识,虽知己者莫辨其本心。用晦在时,时如驹逝,稍纵即逝之矣。

译文

沉入"晦"的状态过久,大家也都看不清他本来的面目,即便是知己者也很难认清他的心迹。使用晦术重在把握时机,时机如同白驹过隙,稍一疏忽就会失掉。

【事典】慕容垂择机兴燕

慕容垂是前燕国主慕容皝的儿子,文才武功为世少有。慕容皝认为他有奇霸之才，所以为他改名为慕容霸，并想立他为太子，在大臣劝谏下才打消此念，封他为吴王，让他率重兵抵御前秦。

慕容皝死后，太子慕容儁即位，对慕容垂险些夺了自己的位子记恨于心，处处猜嫌，慕容垂的日子就难过了。所幸主政的太宰慕容恪贤明，上下弥缝，慕容垂倒还可以勉强度日。

慕容儁死后，慕容暐即位。慕容暐年纪幼小，大权落到太后可足浑氏和太傅慕容评手里，而慕容垂倚之为靠山的慕容恪也病死了。

慕容评忌惮慕容垂才能高、功名重，怕他迟早夺了自己的地位。太后可足浑氏一向讨厌慕容垂，两人合谋，削夺了慕容垂的兵权，招他回邺城，然后密谋把他除掉。

太宰慕容恪的儿子慕容楷和舅舅兰建知道了这个消息，忙来告诉慕容垂，劝他先下手除掉慕容评，掌握大权，就可能转危为安。

慕容垂毅然道："骨肉相残在国内挑起祸乱，这种事我宁死也不肯做。"

两人又出去打探消息，回来对慕容垂说："太后和太傅的主意已经打定了，你该怎么办可要快些，晚了就来不及了。"

慕容垂说："如果事情真的无法挽回，我宁可投奔别国避难，别的方法不在考虑之列。"他和世子慕容令研究一下，便决定出逃。他假借出城打猎的名义携带夫人和四个儿子以及慕容楷和舅舅兰建一同逃到了前秦。

前秦苻坚一直想吞并前燕，所顾忌

慕容垂

　　字道明，又名霸，鲜卑族，十六国时期后燕建立者，著名政治家、军事家、统帅。

镜　鉴

　　以韬晦制造出的时机也是稍纵即逝的。

的就是慕容恪和慕容垂两人，而今慕容恪已死，慕容垂又来投奔自己，喜从天降。苻坚亲自到郊外去迎接慕容垂，并许诺要和他一同平定天下，然后把燕国封给他，世世传袭。

苻坚也很喜爱慕容令和慕容楷，厚加赏赐，任以高官，每次上朝进见时，苻坚都特别注意看这三人。

王猛不同意苻坚的做法，劝他说："慕容垂父子如同龙虎一样，绝不是用恩德、官禄、财物能买住他们的心的，一旦风云变幻，他们就会借机兴起，那时就难以制伏了，不如早一点下手把他们除掉。"

苻坚说："我正招揽四方英雄来统一天下，怎能反而杀英雄，况且我刚见他时已经竭诚许诺，平常百姓还要讲讲信用，何况万乘君主？"苻坚任命慕容垂为冠军将军，封宾传侯，任命慕容楷为积弩将军。

苻坚派王猛攻打前燕，由于前燕太后可足浑氏乱政，太傅慕容评昏庸无能，只知收受贿赂，被王猛一战平定。

慕容垂父子在前秦行韬晦之策，深得苻坚重用和赏识。王猛和阳平公苻融屡次劝苻坚杀掉慕容垂父子以绝后患，苻坚对王猛言听计从，唯独在此事上坚执己见。

苻坚发百万大军攻打晋国，淝水一战全军溃逃，死亡十之七八，只有慕容垂率领的三万精兵完好无损，全军撤回。

苻坚丢弃了乘舆、仪仗和辎重，只带一千多人逃到了慕容垂的军中。

慕容垂的儿子劝他说："咱们燕国被灭，燕国人心中最后的希望就在您身上了，只不过因为时机不到，所以韬光养晦在前秦栖身而已。如今苻坚惨败，是上天借此机会让咱们重新建立燕国，这个机会不能放过，您别以个人的感情耽误了社稷大业啊！"

慕容垂说："你的话很对，可主上竭诚

十六国时期铜鎏金佛像

待我,别处不去,只投到我的军中,我怎忍心害他?假如上天真的抛弃了秦国,何必怕它不灭亡。我们先在危难时保护他一次来报答他对我们的恩德,然后再慢慢找机会消灭秦国,这样既不亏心,也可以用道义来取天下。"

他弟弟慕容德说:"秦国强盛时灭了燕国,秦国衰弱时咱们灭掉它,这叫报仇雪耻,怎能算亏心?哥哥怎能放着秦国不取,却要把数万人马拱手送人?"

慕容垂说:"我当年被太傅逼得无处容身,到秦国逃命。秦主以国士待我,恩德礼遇都到了顶点,这恩德如何能忘?如果秦国真的灭亡了,我也只要燕国的田地,不要秦国的土地。"

慕容垂的家人和亲友都劝他杀掉苻坚,占据邺城,乘混乱时收复旧地,慕容垂坚决不听,把三万军马交到苻坚手上。

苻坚对慕容垂信任不疑,慕容垂便请求让自己到燕国故地安抚民众,并且拜谒祖庙。虽有人对苻坚说慕容垂会一去不复返,苻坚还是答应了他的请求,并派人率军护送他回国。

慕容垂回到邺城后,认为自己救了苻坚一次,已经报答了他的恩德,便秘密筹划重建燕国,恰好有丁零人翟斌起兵叛乱,苻坚便令慕容垂带兵征讨,给他三万人马,出入的数目倒是相等。

慕容垂知道这是最后一次机会了,便不再犹豫,和翟斌联合,反攻邺城,与前秦决裂;之后又东征北讨,收复燕国故地,重建大燕,史称后燕。

释评

战国时的烈士豫让说过:"人以国士待我,我以国士报人。"自古以来以国士待人的有很多,以国士报人的却不多见。慕容垂在苻坚穷途末路时不加伤害,反而把手中的三万人马拱手交出,可谓有国士之风矣。

"历史往往有惊人的相似之处。"苻坚收容慕容垂和曹操收留刘备极为相似,如同一个故事的两个版本。慕容垂在前秦的韬晦和刘备种菜也差不多,只不过曹操奸诈,符坚仁德,两人的还报也就不同。

　　机会往往只有一次,错过了就很难再得到。慕容垂却把这绝好的机会放过,用来报德,真可和关云长华容道义释曹操相媲美。但事情都是因果相连的,就因为慕容垂放过了这次机会,符坚又把机会回送给他。慕容垂把握住了这次机会,正如关羽没有第二次放曹操的道理,所以慕容垂虽然最后反攻秦国,依然不失为国士。他是在重兴自己的国家,完成自己作为燕国人的职责。

原文

　　欲择时当察其几先,先机而动,先发制人,始可见晦之功。

译文

　　要选择时机应当认清事情最初的微妙迹象,先占有有利的时机来行动,先发制人,这样才能显示出韬晦的功效。

【事典】查容假醉避祸

　　查容,字韬荒,是浙江海宁人。因为是名士,他被平西王吴三桂聘去做幕僚。

　　查容到了昆明后,吴三桂对他极尽礼遇。可过了一段时间后,查容发现吴三桂有割据称帝的野心,便潜谋脱身之策。

　　一次,吴三桂请他喝酒,他故意装醉,做出种种对吴三桂无礼的行为,希望吴三桂一怒之下把自己赶走,就可名正言顺地离开昆明。

　　谁知吴三桂对他很是宽容,并不计较他酒后失态。查容无奈,只好不告而别,临行时在墙壁上留下一首诗,其中一句是:“将军有酒能投辖,壮士闻鸡已出关。”意思是说你虽然好客,把我的车轮子投到井里想留住我,我听到鸡叫时已经出关了,表明自己离去的决心。

　　吴三桂见到诗句后,马上派一名武士去追赶查容。武士追到查容后,向他说明王爷留客的诚意,请他回去。

　　查容在马上把武士提起来扔到地上,说道:"你老子是不会为你留下的。"

　　武士回去报告后,吴三桂大怒,派人去刺杀查容。查容改换服装,从小道一路赶回家乡,摆脱了刺客的追杀。

　　不久,吴三桂便起兵造反,最终被消灭,当时的人都夸赞查容有先见之明。

释评

　　海宁查氏自清初便是文化望族,名士文人代出不穷。当今翻译家、诗人穆旦和武侠大师金庸都出自海宁查家,可谓兴盛不衰。

　　吴三桂当时虽然骄横跋扈,也是因为他对清朝立的功劳太大,大清朝廷对他也极尽宽忍之能事。至于说他要造反,并没有显著的形迹,查容却能见微知著,洞烛先机,确是有先见之明。

　　查容的脱身之策也很高明,只是演技还不到家。明朝时唐寅被宁王朱宸濠请去作画,唐寅也是察觉宁王要造反,怕受牵连,便假装酒醉做出一些荒唐举止,宁王也不肯放他。唐寅索性当着宁王妃妾的面拉开裤子撒尿,宁王终于忍受不了,只好放他回家。不过这等下流举止,查容自顾身份,是宁死也不肯做的,所以也只好硬跑了。

清代斗彩竹纹竹节式盖罐

　　当时云贵一带都是吴三桂的地盘,查容以一个不识路径的外乡人居然能摆脱刺客的追击,其机智和体力都令人佩服,因为其间的凶险万状是不难想到的。

原文

惟夫几不易察,幽微常忽,待其壮大可识,机已逝于九天,杳不可寻矣。

译文

可叹的是事物的最初状态很难察觉,常因细小微弱而被人忽视,等它逐渐长大到容易识别的时候,机会都飞到九霄云外去了,遥远而不可寻觅。

【事典】陈树屏片言解纷

陈树屏任江夏县知事时,张之洞为湖广总督,谭继洵为湖北巡抚。一天,官员们在黄鹤楼公宴,边喝酒边观赏江面风景。

不久,大家都有些醉意了,一人忽然谈起武汉长江江面的宽度,巡抚谭继洵说是五里三分,张之洞却说是七里三分,两人争执不下,争得脸红脖子粗。

眼见这场酒宴要不欢而散,总督和巡抚手下的人谁也不敢劝解,更不敢说哪一方对,只在心里暗暗骂那个挑起话头的人。

陈树屏因为官职最小,坐在最后的座位上,却举手发言道:“总督大人和巡抚大人说的都没错。”

众人愕然,知道他是要为二人打圆场,却不知他如何能自圆其说。

陈树屏接着说:“江面水涨时,宽度就是七里三分,水落下时就是五里三分,总督大人说的是水涨时的宽度,巡抚大人说的是水落时的宽度,两位大人都没说错。”

众人鼓掌喝彩,张之洞和谭继洵也抚掌大笑,争执化解,大家重执杯盏,痛饮欢歌。

张之洞是清朝末期著名的洋务派、实业家,几乎当了一辈子的封疆大吏,谭继洵则是戊戌六君子中谭嗣同的父亲。

官场倾轧有时并非因为争权夺利,一言半语不合、些微意气之争都可能酿出大的争端。唐朝中期以后的牛李党争起因也不过是一点小事,倘若有人善于化解,两方消除芥蒂,也就不会有后来的朋党之争。只因没有及时化解,由小及大,矛盾越结越深,纠缠固结就是用百万大军也无法破解开,以至皇帝都发愁,感叹道:"除藩镇割据之祸易,解牛李党争难。"而朋党之争、宦官乱政和藩镇割据又成为唐朝灭亡的三大原因。

张之洞虽任总督,但巡抚依然是一省的最高军政长官,两者并没有严格的上下属关系,所以谭继洵敢于与张之洞争。

当时并无精密的测量设备,两人也不过都是随口一说,说的都未必对,却因出现分歧而固执相争。他们争的不是数字而是意气,这也是争执中最可怕的。因为意气之争最容易在人心里植下难以铲除的芥蒂,以后是否会长成牛李之争那样的恶性肿瘤,也是很难说的事。

清代竹根雕螭龙摇铃

陈树屏自然也不知道长江宽度有多少,却巧妙地用一句话满足了两人的好胜心,也给两人铺好了顺脚的台阶,两人脸面得以保存,也乐得迈下台阶,毕竟冤家宜解不宜结。

陈树屏最妙之处在于既拍了两位上司的马屁,又没有丝毫谄媚谀奉的味道,拍得无迹可寻,真是君子拍马屁中的绝品。

原文

是故用晦在乎择时,择时在乎识几。识几而待,择机而动,其惟智者乎?

译文

所以用晦的关键在于选择时机,选择时机的关键在于认清事物的萌芽状态。认清这种状态而等待,把握住成熟的时机而动手,这难道不是只有有智慧的人才能做得到的吗?

【事典】仇钺的叛中之叛

明武宗正德五年(1510年),安化镇守王置鐇举兵反叛朝廷。游击将军仇钺来不及脱身,陷于叛军之中,为权宜之计,便假装跟从王置鐇以避杀身之祸。

安化兵变的消息传到京城,朝廷震惊。京师中人纷纷传言:"游击将军仇钺已投叛军,兴武营守备保勋与叛将王置鐇是儿女亲家,要为叛军做外应。"

朝中大臣听后,都信以为真,只有老将军李文正不信,说:"仇钺一定是身不由己,陷身叛军之中,必定不会跟着反叛。保勋虽然是叛将姻亲,但他对朝廷忠心不二。如果怀疑他们而不重用,那么凡是与叛军将卒有瓜葛的就都害怕了,谁也不愿意归顺朝廷了。"他极力推荐保勋为参将,仇钺为副将,责令他俩讨贼以自明,武宗听从了他的建议。

保勋得到任命后,感激朝廷不怀疑自己却加以重用之恩,当天便率军赴安化平叛。

仇钺被困在安化城中,虽然不知道朝廷动向,却不甘心附逆。他一面假装生病,卧床不起,不参与叛军的事,一面又秘密联络自己以前率领的壮士,积蓄力量,准备等朝廷大兵一到城下,自己便在城中发兵响应。

不久，保勋派人潜入城中，告诉仇钺朝廷已任命他为副将，命他讨贼立功。仇钺越发感激，又和保勋定好里应外合的计策和暗号。

仇钺派人游说叛将何锦说："朝廷大兵到了河边，我军应快速出城，抢占渡口，防止官军决开河水灌城，并应派重兵沿河防守，阻止官军渡河。"

何锦闻言，认为有理，便率精兵出城防守，城内只留老弱和叛将周昂守城。

仇钺又派人去请周昂，言称自己病重将死，周昂急忙到府中来探视他的病情。仇钺躺在床上呻吟不止，说自己马上就要死了。

"死"字音犹未落，仇钺预先埋伏的壮士乘周昂不备，从后面举大锤把他打死，斩首挂在马鞍下示众。

仇钺一跃而起，披挂上马，率壮士出门沿街大呼，昔日部下便又云集到他的麾下。仇钺指挥士兵夺取城门，斩杀守卒，控制了安化城。

明代螭龙银香炉

城内的叛军因群龙无首，不战自乱。叛军首领王置鐇正在府内，还不知城中已发生变化，被仇钺冲进府内生擒。

城外的保勋见城头改换了旗号，知道仇钺已得手，便挥军渡河。仇钺也从城内杀出，两相夹击之下，叛军大败。何锦走投无路，投河自尽，其余叛军四散逃亡，安化便一战而平。

释评

历来被叛乱的军队裹挟的人的出路似乎只有两条：一是随同造反，二是自杀以明志。仇钺却走出了第三条路。

他开始时必须在表面上附从叛军，否则人头落地，就什么也谈不上了。保住命后，他称病是为了使自己不致越陷越深，同时也有机会联络旧部准备反击。

　　他用计把城中的重兵调出，然后又使诈杀死了守城叛将，使城内叛军无法统一在一起，从而顺利地控制了城池，擒住了叛首。

　　应该说这些步骤没有特别出奇之处，一步步平平实实施展开来，却得到了意外的完胜结局，超一流棋手下棋也正是如此。

　　武宗虽然荒淫，在信任仇钺这一点上还是很明智的。假如他相信传言，如汉武帝灭了李陵满门那样，使仇钺无路可返，他就只有随着叛军随波逐流，命运还比不上李陵。明武宗自然无法和汉武帝相比，但单就此事而论，明武宗却比汉武帝高明，度量也大得多。